ひとりだから楽しい仕事

日本と韓国、ふたつの言語を生きる
翻訳家の生活

クォン・ナミ
Kwon Nam-hee
藤田麗子＝訳

平凡社

大きなお金を稼ぐのは難しいけれど、
経験が本となって積み重なっていく、
素敵な仕事です。

プロローグ　おばあちゃんになっても翻訳を続けたい

天才は早世する、とか美人薄命という言葉があるけれど、天才でも美人でもない私は元気に50代を迎えた。それがつい昨日のことみたいに思えるが、気づけば50代もすでに半ばを過ぎている。

若者でもなく老人でもない50代は、思っていたより気楽だ。不満だらけの10代、さまよった20代、苦しみと希望が共存した30代、生きるために突っ走った40代。続いてやってきた50代は、ひと休みの時期だった。このままで大丈夫かどうか自己点検をして、50年にわたる軽挙妄動を反省し、関節にガタがきていようとも、この先50年（？）を駆け抜けるために靴ひもを結び直す時期というか。

私にはできないことが多すぎる。いや、できることはない、と言ったほうが正確かもしれない。車の運転どころか、自転車にも乗れない。水泳もできない。インドア派だから屋外アクティビティは苦手だけれど、家の中でやることならそこそこ得意……と言いたいところだが、裁縫や編み物、料理もできない。何の自慢にもならないが、本当にできないから開き直るしかない。

娘の静河《ジョンハ》は〝不器用でちゃんとできていないこと〟を「お母さんみたい」と言う。焼肉屋で「あ、お母さんみたい」と言ったとしたら、ハサミの重さに手こずりながら、やっとのことで肉を切っているという意味だ。プレゼントをラッピングしながら「あ、お母さんみたい」と言ったら、おぼつかない手つきで、美しい包装紙とかわいいリボンをめちゃくちゃにしているということだ。

自転車や運転、水泳などは習えばいいようなものだが、習おうという意志もない。そんなわけで、ときどき静河に聞かれる。

「ねぇ、お母さん。もし娘までお母さんみたいだったら、やってられなかったよね？」

こう質問されるたび、真剣に考えこんでしまう。そうともかぎらない気もする。行動範囲が狭いから、どこかでトラブルを起こす心配がない。できることが少ないぶん、あれこれ手を出さず、ひとつに絞って才能を伸ばしていくという長所もある。私自身、外国語が好きで文章を書くことを楽しむという唯一の才能を天から降りてきた綱のように大切に握りしめているおかげで、30年も翻訳を続けられているではないか。そのうえ訳書だけではなく、数冊のエッセイ集まで出すことができた。

あぁ、本当にいつも思うことだけれど、8割が運によって決まってきたというコスパ最高の人生だ。この先30年、綱を握った手をゆるめることはないだろう。80代になってもよりいっそう成熟した翻訳を続け、年をとるにつれて変わっていく世の中を生きる話を書き続けるだろう。

この本には、これほど非才ながら要領よく、あるいは運よく、翻訳家として暮らす日々のことを書いた。偉大な学者の先生方による格式高い翻訳の話ではなく、ささやかで軽く愉快な、翻訳や暮らしの物語だ。

2011年に上梓したエッセイ集『翻訳に生きて死んで』の出版から10年を経て、『面倒だけど、幸せになってみようか』を出した。それからわずか1年後に、本書を出すことになった。作家チョン・セランさん（『保健室のアン・ウニョン先生』『フィフティ・ピープル』などの作品で知られる小説家）のおかげだ。昨年、チョン・セランさんが『面倒だけど、幸せになってみようか』の推薦コメントとともに、こんなことを言ってくれた。

「やっぱり、先生のエッセイはすごくおもしろいです。足りないのはボリュームだけ!!　もっとたくさん、これからも書き続けてください!!」

その言葉がとてもうれしくて、もっと書こうと心に決めた。そしてこのとおり、本当に書いた。翻訳の仕事は幸せで、文章を書くのも楽しい。これからももっとたくさん、いつまでも書き続けていきたい。

２０２１年５月

クォン・ナミ

日本との縁

私は30年にわたって、韓国で日本文学を翻訳してきた。

朝井リョウ、有川ひろ、糸井重里、絲山秋子、井上荒野、岩井俊二、小川糸、小川洋子、恩田陸、角田光代、角野栄子、川上未映子、貴志祐介、北野武、京極夏彦、桐野夏生、西加奈子、桜木紫乃、さくらももこ、柴田翔、谷川俊太郎、辻仁成、天童荒太、東野圭吾、益田ミリ、三浦しをん、村上春樹、村上龍、群ようこ、森絵都、柳美里、柚木麻子、ヨシタケシンスケ、吉田修一〔50音順〕などなど、数多くの日本作家の作品を300冊以上翻訳した。なかでも、村上春樹さんのエッセイと、小川糸さん、益田ミリさんの作品は、韓国で私が最も多く訳した。

小川糸さんは、『ライオンのおやつ』韓国語版の序文に「韓国では、日本で出版された私の作品のほとんどが翻訳されています。そして、そのほとんどを訳してくださっているのが、ナミさんです。ナミさん、本当に本当にありがとうございます！　ナミさんには、私の内臓の色や形まで知り尽くされているようでお恥ずかしい限りですが、ナミさんのおかげで、本当に多くの韓国の読者の方とのご縁をいただくことができました」と書いてくださったこともある（こちらこそありがとうございます。小川糸さんをはじめ、素晴らしい作品をご執筆くださった上記の作家のみなさま）。

ところが今回は逆に、私のエッセイが日本語で翻訳出版されるなんて。こんな日がやってくるとは夢にも思わなかった。ひょんなことから日本文学の翻訳を始め、ひょんなことから作家になった私に、なぜこんな驚くべきことが起こったのだろうか。この序文を書きながらきっかけをたどってみると、そこには高校2年生のときに図書館で読んだ三島由紀夫の小説『金閣寺』があった。日本の小説に初めて触れ、シックな文体にぞくりとしたことを今でもはっきりと覚えている。もしかしたら、未来を予告する前奏曲だと直感したことによる武者震いだったのかもしれない。当時の私は、その事実を知る由もなかったけれど。

中学生の頃から、大学では英語や国語を専攻しようと思っていた私は、何の躊躇もなく日本語に進路を変え、そこから日本との縁が始まった。

大学2年生のとき、初めて日本に行った。北海道で、子どもたちのために世界各国の大学生にホームステイ先を提供するというプログラムに参加したのである。私のホストファミリーだった〝理容のざわ〟の野沢さんは『NHKのど自慢』年末大会の受賞経験者で、その町（北海道岩内郡共和町）にやってきた留学生たちに千昌夫の「北国の春」を教えてくれた。北海道のことを思い出すと、今でも〽白樺　青空　南風〜と口ずさんでしまう。振り返るたびに心があたたかくなる思い出だ。

大学卒業後、東京で日本語を学びながら、原宿と両国のぬいぐるみ屋でアルバイトをしたこともある。ドラマ『東京ラブストーリー』が大ヒットし、KANの「愛は勝つ」があちこちで流れていた年だ。翌年、韓国に戻って翻訳の仕事を始めた。初めて訳した本は、星新一さんの『おせっかいな神々』だった。

ドラマ『29歳のクリスマス』の主題歌だったマライア・キャリーの「恋人たちのクリ

スマス」が街中に溢れかえっていた年、東京で働く韓国人男性と結婚した。新婚生活を始めた場所は三鷹だった。今でも三鷹という地名を聞くと、胸がときめく。たくさんの思い出が詰まった場所だ。三鷹図書館まで徒歩3分だったので、ほぼ毎日通っていた。市役所にも近く、妊娠中は三鷹市役所の母親学級に通った（ここで会った日本人の友達とは、今でも〝1995母親学級〟という名のLINEグループでつながっている）。1995年に娘の静河が生まれた。その後、韓国と日本を行ったり来たりする生活を送っていたが、浜崎あゆみの「Voyage」がヒットした年に離婚した。その後ソウルに定住し、母子家庭の大黒柱として翻訳の仕事にいっそう邁進することになった。同じ頃、小説版『29歳のクリスマス』の翻訳依頼が舞い込んできたのは不思議な偶然だった。

賢く元気にすくすく育った静河も、大学で日本語を専攻した。立教大学に1年間、交換留学生として在籍したこともある。このとき、かつて母のおなかにいた頃、同じ母親学級に通っていたという縁を持つ双子の葉山智美ちゃん・里美ちゃんと出会って仲良くなったのは、まるでドラマのような出来事だ。〝静河ちゃんの日本の母〟として、娘の留学中、物心両面でサポートしてくれた母親学級の友人、小澤文美さん、村上水奈子さん、葉山みゆきさんにあらためて感謝申し上げる。あっ、この本をお読みになるかどうかわかりませんが、２００1年に仙台の立町小学校にいらっしゃった大友先生！　たどたどしい日本語の静河にいつもやさしく親切に接してくださって、ありがとうございました。ドラマに登場するような立派な先生だったことを、今も私たち母娘は覚えています。

そして、韓日文化の掛け橋だと私を讃えてくれる長年の友人、渋木義夫さん・節子さん兄妹にもこの場を借りて御礼申し上げます。渋木家のご両親とのお付き合いも30年を超えました。いつまでもお元気に長生きなさってください。

最後に、いつも頼もしい友、岩波書店辞典編集部の奈良林愛ちゃん。愛ちゃんの素敵な文章のおかげでこの本がよりいっそう輝きました。ありがとう。メールをやりとりするなかで新しい韓国語表現を目にするたびに、ぽんぽん跳ねるスーパーボールみたいに悦ぶところが本当にかわいいです。

数日前、静河が「お母さんの本が出たら、日本の書店に並んでるところを見に行こうよ！」と言った。想像するだけで泣けてくる。まだいつ日本に行けるかわからないけれど、いつか、この本が置かれた棚の前で涙をぽろぽろ流す母娘がいたら、それはきっと、私たちです。

２０２２年10月　ソウルにて

クォン・ナミ

目次

第1章　今日は仕事をがんばるつもりだったのに

第2章

銭湯の娘だった翻訳家

第3章 著者になってみると

第4章 ごくろうさま、あなたも私も

第1章

今日は仕事をがんばる つもりだったのに

今日は仕事をがんばるつもりだったのに

朝、目を開ける前に思う。今日は仕事をがんばろう。固く決心して、開かない目をこじあける。時間を確認しようとスマホを手に取る。そのついでに、昨日の新型コロナウイルス感染者数をチェックする。ついでに、ニュースにも目を通す。目が覚める。メールが届いていれば返信し、ブログにログインして掲示板のコメントにも返事をする。スマホは指一本で操作をするから、文字入力のスピードはミミズよりのろく、カメより遅い。否応なしに一文字ずつ心を込めて打つことになる。この誠意は、相手に伝わっているのだろうか。

目覚めてからあっという間に1時間が過ぎたが、体はまだベッドの上だ。スマホのせいで、なおさら時の流れが速い。握りしめた砂のように、時間がさらさらとこぼれていく。早く起き上がって、今日は仕事をがんばらなきゃ……。

あたたかいお茶や水を大量に抱えて、デスクの前に座る。ノートパソコンを起動したついでに、ネットブラウザを立ち上げてしまうのが人間というもの。さっきスマホで読んだメールを大きな画面でもう一度読む。たいていは仕事の話だから、見逃した内容はないかどうかチェックする。ついでにユーチューブでかわいいお犬様の動画をちょっと見て、ペク・ジョンウォンさん〔セマウル食堂、香港飯店0410をはじめとした外食フランチャイズを経営する韓国の実業家。料理研究家、タレントとしてバラエティ番組でも活躍〕の料理レシピも見ておこう。

さすがにそろそろ本格的に仕事を始め……ようとしたところに宅配便が届く。受け取って、開封して、片づけるのにしばらくバタバタ。誰かからの贈り物だったときは、報告用の写真を撮ってお礼のメッセージを送る。

再び、ノートパソコンの前に戻る。どうしてもうお昼時になっているんだろう？　朝ごはんも食べていないのに。テレビをつけて、ごはんを食べる。食事にかかる時間は10分ちょっと。軍人より速く食べることもある。寸暇を惜しんで仕事をするために急いで食べているように見えるかもしれないが（そんな時代もあった）、早食いの習慣がついたのは愛犬〝ナム〟のせいだ。食いしん坊大魔王のシーズーが切実な目で食べ物を欲しがって脚にしがみついてくるので、サッと食べ終えて片づけをするようになった。しがみついてくるナムはもういないのに、相変わらず早食いをしている。14年間染みついたクセは恐ろしい。体によくないらしいから、早く直さなきゃ。

インターネットがなかった時代は、一日の仕事量が本当に多かった。200字詰め原稿用紙で600枚程度の本なら、半月あれば訳せた。一カ月に原稿用紙1000枚分ぐらいを訳してやっと世間一般の月給ぐらいになるので、長年ずっと目標は1000枚だった。もちろん目標はあくまで目標だから、達成できないときのほうが多い。インターネットが登場したときも作業効率は下がったが、何とか誘惑に打ち勝つことができた。でも、スマホの前ではお手上げだ。フリーランサーの敵、スマートフォン。イエス様の教えに従って、敵を愛しすぎている。無宗教の分際で。

昔は「今日は仕事をがんばろう」と自分に言い聞かせるようなことはなかった。そんな決心をするまでもなく、過労死しそうなほど一生懸命だった。

でも、その当時より、こんなふうにサボりながらざっくり生きる今の自分のほうがいい。死ぬまで仕事をしたいとは思っているが、仕事ばかりして死にたくはない。そんなふうに生きて亡くなった父を見て以来、稼ぎが少なくて使えるお金が少ないとしても、ほどほどに休みながら余裕をもって生きようと思うようになった。

まぁ、それはそうなんだけど、今日こそは一生懸命仕事をしようと思っていたのに、またがんばれなかった。明日はがんばらなきゃ……。

高い服

ファッションセンスがないうえに、たいていは自宅で仕事をしているので、きちんとした外出着というものを持っていない。シーズン別に1、2着ほど、人に会うときに着る服はあるけれど、ふだん着よりちょっとましなだけで、上等な服というわけじゃない。それだって編集者や友達に会うとき限定だ。フォーマルな場に着ていけるような服は一着もない。

そんなある日、フォーマルな場に参加する機会がやってきた。小説家の小川糸さんが訪韓した際、彼女の本をたくさん翻訳したご縁で、日本大使館の晩餐会に招待されたのだ。

「たしかにお母さんって、全然よそいきの服を持ってないよね。この際、高いスーツを買いなよ」

娘の静河がカカオバンク〔韓国のスマホ銀行アプリ〕に洋服代を送金してくれた。娘にはいつも感動させられる。そうしよう、この機会にスーツを買って、ばっちりきめて行こう、と思った。しかし、服を買いに行くというのは、とても面倒で勇気のいることだ。試着してみますね、という言葉すらなかなか言い出せず、何も買わずに店を出るのも申し訳ない。ずるずると先延ばしにしたあげく、イベントの前日になってようやくデパートに駆けこんだ。

店に入っていざ服を選ぼうとしたが、よく考えてみたら、今まで生きてきた中でスーツを着たことはほとんどない。これからも着る機会は少ないだろうに、わざわざスーツを買う必要があるだろうか。そんなことを考えていたら、カジュアルな服が目に飛び込んできた。シースルー素材のゆったりしたタータンチェック柄の半袖ブラウスと、ベージュカラーで七分丈の麻パンツ。まさしく私好みでとても気に入ったが、お値段がかわいくない。ブラウスは50万ウォン〔1ウォン=約0・10円〕、パンツは40万ウォン。「割引はありませんか?」と尋ねたところ、「ただいま50%オフのセール中です、お客様」とのこと。なんという幸運だろう。これなら晩餐会にも着ていけるし、ふだんの外出時にも着られるから、たんすの肥やしになりそうなスーツを買うより効率的な気がする。セール価格とはいえ安くはないけれど、大使館の晩餐会に着て行くんだから、これぐらいは奮発しなきゃ、と裕福なご婦人のようにポンと購入した。

いよいよ当日。わざわざ買った超高額（?）の服を着て、ヘアセットをしてもらおうと行きつけの美容室に寄った。親切な店長が無料でメイクまでしてくれた。お礼を告げて帰ろうとすると、こう言われた。

「あとは、服を着替えるだけですね」

「えっ。これを……着ていくつもりなんですが」

「はい?」

格式ばった席に着ていく服には見えないという店長の意見を聞き、自宅に戻って七分丈の麻パンツをロングスカートにはき替えた。これできちんとしているように見えるだろう、と思ったけれど、その日、日本大使館で撮った写真を見ると、黒いスカートをはいた野暮ったい自分がやけに目につく。どうせなら、セットアップの麻パンツをはいていけばよかったな。つくづく、ファッションセンスというものがない私である。

パスポートと指紋

数カ月前に有効期限が切れたパスポートの更新に行ってきた。コロナ禍ですぐにパスポートを使う予定があるわけでもなく、仕事だって立て込んでいるのに、暑い中わざわざ書き換えに行ったのには理由がある。

年初にエッセイ集用のプロフィール撮影があり、メイクをしてもらったついでに証明写真を撮った。パスポートだけでなく、30代の頃に発行された住民登録証〔姓名、住民登録番号、住所などが記載された写真付きの身分証。満17歳以上が発給の対象となる。有効期間はないが、写真が古くなった場合などに更新手続きを行う人もいる〕も替え時だった。プロにメイクをしてもらったおかげで、急きょ撮った証明写真ながら写りがいい。娘の言葉を借りれば、ドラマに出てくる奥様みたいだった。

そういえば、この10年間使ってきたパスポートの写真も、雑誌のインタビューがあってプロにフルメイクをしてもらった日に撮ったものだ。でも、それはもし見たいという人がいても恥ずかしくて見せられないほど写りが悪かった。今回の写真でパスポートを更新したら、この先10年は自分から率先して見せびらかさなきゃ。見た目が違い過ぎて、入国審査でひっかかるかもしれないという不安はあるけれど。

証明写真は撮影6カ月以内に使わないといけないのに、月日は新型コロナとともに稲妻のような速さで流れた。仕事をしながらふとカレンダーを見たら、5カ月も経っている。そこで、あわててパスポートの更新に行ったのだ。もう二度と撮れない美しい写真を無駄にしないために。

窓口担当者はとても几帳面で、マスクを外した私の顔をずいぶん長い間、パーツごとにチェックした。ちょっと待って、写真の中の奥様と、髪をひっつめて仕事中に出てきた今の私、そこまで違うかな？　そんな疑問を抱くのはおこがましいというものだろう。母親にすら「あんたじゃないみたい」と言われた写真だ。

やっとのことで写真のチェックをパスしたと思ったら、今度は指紋のトラブル。両手の人差し指をスキャナに置いたが、本人確認ができない。親指、中指……10本の指をすべて置いてみても認識されなかった。

両手の指紋を登録してから、少なくとも20年は経っている。住民登録証の発行年が１９９９年だから。その20年間に、２００冊近い本を翻訳した。まさかとは思うが、指紋がすりへっていてもおかしくはない。

結局、最新の指紋認証リーダーへ移動することに。今度は右の親指を置いただけで、すぐに本人確認ができた。10本の指をすべて置いても認識できない機械はそろそろ交換していただかなくちゃ。指紋がすりへる仕事をしているのは私だけじゃないだろうから。

帰り道は複雑な心境だった。写真のことはすっかり頭から消え、指紋認証リーダーに認識してもらえなかった指紋ばかりを見つめていた。そういえば、すりへってつるつるしている気がする。悲しいな。これからは指サックでもはめて仕事をしたほうがいいだろうか。残っている指紋だけでも守るために。

せっかく出かけたのに沈んだ気分になり、家に着いてから娘に指紋のことを話したら、こう言われた。

「わぁ〜。指紋がすりへるほど働いたなんて、お母さん、翻訳の巨匠っぽいじゃん。イケてる」

テレビの中の翻訳家

巷の話題をさらった名作ドラマ『夫婦の世界』。ふだんは食事のとき以外、あまりテレビを見ないが、適当にチャンネルを切り替えていたらキム・ヒエさんが出てきたので、たちまち釘付けになった。ジャンルにかぎらず、同年代の人がトップレベルの活躍をしていると、妙に誇らしくなって応援したくなる（たとえばペク・ジョンウォンさんとか）。知り合いではないけれど、同時期に小学校に入学し、50年以上にわたってあらゆる制度や歴史をともにした同志だから。そんな理由で観始めたこのドラマはあまりにもおもしろすぎて、数年ぶりに週末を待ちわびながらリアルタイムで視聴した。

キム・ヒエさんの演技力に驚き、劇中の夫を憎たらしく思っているうちにドラマの半分が終わった。前半の終わり頃に浮気夫は離婚され、妊娠中の不倫女とともに追われるように街を去る。あぁ、いい気味だと思っていたら、2年後というテロップが入り、無一文で追放されたはずの夫が大金持ちになって帰ってきた。監督した映画が大ヒットしたという。

浮気で社会的信用を失い、離婚されて無一文になった人間が、2年後に映画を大ヒットさせて大富豪になった？　いくらドラマとはいえ、展開が雑すぎる。しかも上映中という設定だったが、もう興行収入が分配されたのだろうか？　きっと映画関係者は大ヒット映画がそんなに簡単に完成するはずがない、と失笑したに違いない。

知れば知るほど見えてくるという言葉があるが、ドラマに自分の職業やよく知っている職業が出てくると、「あんなこと、ありえない」とムキになってしまうことがある。私の場合、少しばかり内情を知っている出版社や旅行会社の話が出てくると、ツッコミの厳しい視聴者になる。現実と大きくかけ離れていることが多い。だからこそドラマなのだろうけれど。

翻訳家は頻繁に登場する職業ではないが、だいぶ昔に見たドラマのワンシーンが今でも忘れられない。専業主婦として生きてきた主人公が、夫の浮気で離婚する。どうやって生計を立てていこうか思い悩んだ末、編集者の友人に会いに行く。事情を話し、翻訳の仕事があれば回してほしいと言うと、友人は「待ってて」とオフィスに入り、すぐに太宰治の文庫本を持ってきて翻訳を依頼する。

私にもこんな友人がいたら苦労しなかっただろうな、とうらやましく思った。それはともかく、契約書は交わさないの？　翻訳料金も決めずに？　友情だけを信じて、そんなふうに翻訳の取り引きをしても大丈夫なんですか？　そもそも、未経験者に太宰治を？　太宰治を翻訳して身の縮む思いをしたことのある現役翻訳家としては、ありえない話にまずヒートアップ。

いくら編集者と友達だったとしても、翻訳を始めるときには手続きがある。翻訳料金を決め、締切日を設定して、契約書にサインをする。編集長ならともかく、そうでない場合は上司の決裁も必要だろう。その場で「じゃあ、これを翻訳して」と言えるものではない。それも、未経験者の話を聞いてすぐになんて。

もちろん、そんな時代もなかったわけじゃない。私が最初に翻訳の仕事をしたときがそうだった。出版社を訪問すると、日本の小説が山積みになっていて、社長がそこから一冊を抜き出して「これを翻訳してみてください」と言った。私には紹介者がいたし、まだ海外著作権の概念がなかった時期で、相手が社長だったからこそ可能だったことだ。契約書もなかった。

でもこれは30年前、パソコン通信もインターネットもなかった頃のお話だ。ソウルの地下鉄が4号線までしかなかった時代〔現在は1号線から9号線、水仁・盆唐線、新盆唐線などが運行〕。翻訳料金が今の10分の1だった時代。

私もそうだが、実情をよく知っている職業でないかぎりは、ドラマで描かれたとおりなのだと信じてしまう。あんなシーンを見たら、視聴者は翻訳という仕事を簡単に未経験者に任せていいものだと思ってしまうのではないかしら、としばらく心配だった。でも、たいていの人は何気なく見て、すぐに忘れてしまうはず。恨みがましく、ドラマのワンシーンをいつまでもずっと心に留めている視聴者は私だけなのかもしれない。

500冊のサイン入れに挑戦

紆余曲折を経て、エッセイ集『面倒だけど、幸せになってみようか』が出版された。あら、すごく素敵じゃない。仕上がりにすっかり満足して、それまでの苦労が一気に「一輪の菊花を咲かせるために、春から鳴き続けたコノハズク〔徐廷柱《ソ・ジョンジュ》が１９４７年に発表した詩「菊のそばで」の〈一輪の菊の花を咲かせるために　春からコノハズクはあのように鳴いたようだ〉という一節より〕の鳴き声」に昇華された。単細胞すぎる。本を開いて中を読む勇気こそ出なかったけれど、デザイン的には何もかも気に入った。

娘の静河に認められたいというのが、この本を書いた私にとって最大の願いだった。「うちのお母さんが書いたの」と友達に自慢できるような本になっていたら、もう何も望むことはない。そんなわけで、完成した本が届くやいなや静河の部屋へ持って行った。娘が読み終わって出てくるまで、どんなに緊張したことか。

しばらくして、本を持った静河が「お母さん、すごい！　すごくいい本だね！　どうしたらこんなにおもしろく書けるの?」と感激して出てきたとき、当初の目標を達成できたことにホッとした。そして、売れ行きは神様に任せよう……と心を空っぽにした。

ところが、神様に見放されたのだろうか。発売の直前、下火になったと思っていた新型コロナの感染者数がぶり返した。世間がざわつき、リアル書店の状況にも暗雲が垂れ込めている。店頭広告をたっぷり予約したと誇らしげだった出版社の社長はため息をついた。

それでも幸い、オンライン書店の売り上げが好調だった。発行から2週間で3000部の増刷が決まったという知らせとともに、出版社からこんな提案があった。

「先生、アラジン〔韓国のインターネット書店〕で直筆サイン本イベントをやろうと思うんですが。いかがです?」

100冊ぐらいかなと思ったら、500冊だという。500冊だなんて。10冊サインをしただけで、一日中ゴロゴロしてハーハー言っているような虚弱体質の私にできるだろうか。できたとしても、私のサイン本を買う人なんているのかしら。本が売れなくて、何カ月も〝著者サイン本イベント〟が続いていたら、ものすごく恥ずかしいだろうな。いろいろな考えが頭の中を駆けめぐったが、答えは決まっていた。「やります。できることなら何でも！」

まずは周囲にひとしきり自慢をして〔身に余る光栄だ〕、ふわふわ浮かれた気持ちが落ち着いたら、再び労働への恐怖が押し寄せてきた。私は更年期のひ弱な人間。500冊のサインが死因〔韓国語では「サイン」と発音〕になるかもしれない。はたして一日で終わらせられるだろうか。

悩んだあげく、こういうときは経験豊富な人にメールするしかない！　と、作家のチョン・セランさんにサイン本のコツを尋ねた。すると、こんなに親切な返信が届いた。

イベント用には通常、一言コメント＋サインをしますが、このときは日付なしでも大丈夫です！　日付まで入れると、本当にはてしない作業になってしまいます。コメントを入れない場合は、サイン＋日付です。

500冊であれば、4〜6時間ぐらいかかると思います。サインペンは摩擦ですぐに手首や腕が痛くなるので、いちばんいいのは筆ペンです。摩擦が少なくて、乾くのも早いです！　万年筆でもいいのですが、乾くのが遅いところが難点です。

姿勢をキープできるクッションみたいなものがあるといいと思います。湿布やリストレストもおすすめです。私は本の印刷前に、見返し〔書籍の表紙の裏に貼る紙〕用

の紙を受け取って2500冊分サインをしたことがあります。一週間かかりました。一日400枚ぐらいずつ書いた計算になりますね。

おぉ、セラン様！　実際にやってみると、これはかなりのお役立ち情報だった。日付を入れないのも、筆ペンも、グッドアイディアだった。サインペンみたいにキューキュー音がすることもないし、手首への負担も少ない。

修道女のイ・ヘインさん〔カトリック教会のシスターで、詩人、エッセイスト。1976年に詩集『タンポポの領土』でデビュー〕がサインと一緒にシールを貼っていたのが素敵だったので、ハートのシールを購入して、いよいよ出版社へ！

ひとり寂しく黙々とサインをするのだと思っていたら、ありがたいことに出版社のみなさんが手伝ってくれた。最初の人が表紙をめくり、私がサインをすると、次の人がシールを貼り、その次の人がうちわで筆ペンのインクを乾かすという流れ作業。延々9時間もかかり、予備が少ないのに15冊も書き損じてしまった。

終わってから数日間は死体のようにのびていたが、ものすごくやりがいのある作業だった。サインをしながら編集者やマーケッターと長時間おしゃべりをしたのも楽しい思い出だ。あんなふうに、若者たちと気兼ねなく話ができる機会はめったにない。本書の一節が『ペ・チョルスの音楽キャンプ』〔歌手のペ・チョルスが1990年から30年以上続けているMBCラジオの音楽番組〕で読み上げられたときの放送を一緒に聞いたりもした。体力的には大変だったけれど、幸せな時間だった。

悪筆がネットにアップされたらみっともないし、私にとっては1対500でも、受け取る人にとっては1対1だから、すべてに真心を込めてサインをしなきゃ。そう思って、最後まで気を抜かずにがんばった。それで9時間もかかってしまったのかもしれない。

予想通り、数日経つとネット上でサインの写真をちらほら見かけるようになった。「幸せな春を♡（ハートのシール）クォン・ナミ拝」。こんなふうに書いた、かわいらしい(?)サインが。死ぬほど恥ずかしい思いをすることにはならなくてよかった。500冊のサイン本は10日で売り切れ、イベントはつつがなく終了。チャレンジ成功！

私の本だと言いたくて

1

『面倒だけど、幸せになってみようか』の発売から2カ月後、ようやく教保文庫《キョボ》〔韓国の大型書店。ソウルの光化門店、江南店ほか全国に20店舗を展開〕に著書を見に行った。それも、約束があって光化門《クァンファムン》まで出たついでに、10分ほど時間が空いたからバタバタと。そろそろ平積みではなく棚差しになっているのではないかと思ったけれど、幸いにも台の上でけなげに輝いていた。一度も会いに来ない、無精な作者でごめんね。売り場に並ぶ黄色と緑色の表紙を眺めていたらジーンときた。

ふだんから自発的な外出自粛タイプの私は、ちょっと外出するだけでもひと苦労だが、まるで出勤するようにこの書店に通っていた時期がある。翻訳の仕事を始めたばかりの頃もそうだったし、初心に返った10年目もそうだった。どんな人がどんな本を書いているのか、どの出版社からどんな日本書籍の翻訳本が出ているのか、市場調査をするためだ。

それは、ひとすじの光も射さない炭鉱を掘り続けるような、漠然とした広く果てしない作業だった。出版社の連絡先をメモして、メールを（パソコン通信で）送り、電話をかけた。お仕事をいただけませんか、と。かなりの努力をしたが、成果はなかった。仕事は入ってこなかったから。しかし、やっても無駄だと決めつけて部屋の片隅で何もせずにいるよりはましだ。現在の私がそれを証明している。

たくさんの本に囲まれてお行儀よくしている自分のエッセイ集をしばらく眺めていたら、苦労した時代の記憶がよみがえってきて、またほろりとした。湧き上がる感動を嚙みしめたいが、約束の時間が迫っている。記念に、本を一冊持ってレジの前に立つ。お会計をしてくれる店員さんに、私の本だと自慢したくなった。しかし、それは軽薄というものだろう。「で？」と言われたら、恥ずかしい。クレジットカードをゆっくり受け取り、本をゆっくりカバンに入れて背を向けようとしたが、やっぱり勇気を出して表紙を指さしながら言った。

「これ、私が書いた本なんです」

すると中年の店員さんが無表情に言った。

「あ、そうなんですね」

よかった。「で？」とは言われなかった。オホホ。

2

発売後10カ月ぐらい経った頃、また約束があって出かけたついでに著書の様子を見に行った。さすがにもう平台には置かれていなかったので、検索機で店内在庫の位置を調べたが、書棚に行っても本が見当たらない。しばらく探していたら、ちょうど店員さんがプラスチックケースを抱えてきて、最初に取り出した本が『面倒だけど、幸せになってみようか』だった。

「それ、いただけますか」と受け取ると、また心が揺れ始めた。あの、これ、私が書いた本なんです、と言おうか言うまいか。そう言ったら、どんなに不思議がられるだろう。ちょうど棚に並べようとしていた本を渡した相手が著者だったなんて。そんなドラマチックな瞬間のリアクションを期待しているくせに、私は引っ込み思案だ。しばらく迷っていたら、店員さんがこちら側の棚に並べる本を抱えて、「あのおばさん、いつどいてくれるんだろう」と言いたげな顔でじっと待っている。気を取り直して、すぐレジへ向かった。

書店で働く方々は、こんなふうに作家と会う機会が多いはずだ。どんな気分なのだろう。村上春樹のエッセイ集『村上T 僕の愛したTシャツたち』を翻訳したとき、こんなエピソードを読んだ。

アメリカの有名な超大型書店 Powell's Books で本を何冊か選んでレジに持っていったところ、レジの女性から「あなたはひょっとしてムラカミじゃないか」と聞かれたという。そうだと答えると、急きょサイン会が開かれた。大量にサインをして、謝礼として書店のTシャツを一枚もらったという。村上春樹は「これまで新宿の紀伊國屋でずいぶん時間をつぶしてきたけど、店内でもレジでも、声をかけられたようなことは一度もなかったな。どうしてだろう（もちろん僕としてはすごくありがたいことではあるんだけど）」と書いた。

私も、もし村上春樹さんが近くにいても気づかないだろうなと思う。そばにいるアジヨシ《おじさん》の顔をまじまじと見るということがまずない。おそらくPowell's Booksは西洋人が多いだろうから東洋人が目について、よく見ると村上春樹さんに似ている、聞いてみたらやっぱり本人だ、という感じだったのではないだろうか。

観察眼が鋭いスタッフのおかげで、その書店は儲けものだった。めったにイベントを開催することのない大作家に、Tシャツ一枚でサイン会をしてもらえるなんて。

87歳の母だって運動してるのに

誰に会っても、運動をしろと言われる。そのたびに同じ答えを返す。

「呼吸運動だけでやっとなので」

私はかなりの運動嫌いで、今だから明かせるが、中学・高校のときはありとあらゆる口実を使って体育の授業をサボっていた。これが学生時代、唯一の非行だ。小中高の私は、体育の時間が共産主義より嫌いだったのだ。

人は変わらないという言葉のとおり、今もできるかぎり動かずに生きている。そのせいで、ずっと痩せ型でいられると思っていた体も、中年以降はマグロのようにおなかの肉がふっくらしてきて、体重も……はぁ。

こんな私とは違って、今年87歳になる母は健康オタクだ。タイムカードを押しに行くかのように複数の病院に通いまくり、運動も熱心に続けている。

あるとき実家に泊まったら、携帯電話のアラームが鳴った。早朝5時。出かける予定があるわけじゃないんだから、ゆっくり寝ていればいいのに、どうしてアラームなんかかけるのよ。起こされて心の中でぶつくさ言っていたら、母はアラームを止めて呼吸を整え、寝たままストレッチを始めた。驚いた。私なんて高校の体育の時間以来、ストレッチをしたことがない。

母のストレッチングはややコミカルだった。本人は足をすばやく上げ下げしているつもりだろうけれど、実際は床面からわずかに浮かせて戻す程度。ふだんは老人用の歩行器がないと歩けない。その不自由な足を欠かさずストレッチしているのだ。

朝食後、母は片手いっぱいの薬を飲んで少し休むと、今度はエアロバイクを1000回漕いだ。きちんと回数を数えて、乗り終わったら紙に記録する。すごい。

毎日、午後4時になると運動のために外出するという（冬は午後2時）。町内のおばあさんたちとおしゃべりをしたり、歩いたりしながら2時間を過ごすのだ。一日も欠かさず、決まった時間に決まった運動をする。

そんな母の胎内から、どうしてこれほど動きたがらない人間が出てきたのだろう？

一大決心をして購入したランニングマシンは、10回も使わないうちに観賞用インテリアマシンと化し、区庁に無料回収を申し込んで処分した。体幹を鍛える半球ゴムボールも「ダイエットに成功した」という書き込みをネットで見かけるやいなや購入したが、ダイエットにはならず、半球ゴミボールになった。

周囲の人々もあきらめて何も言わなくなってきた今日この頃、運動をしたほうがいいような気がしてきた。その意志すらなかった昔に比べたら、大きな進歩だ。

椅子から立ち上がるとき、骨盤あたりの骨が「お願いだから、少しは歩いてちょうだい」とわめき声を上げる。骨たちがストライキを起こしたら大変だ。いいかげん、ウォーキングぐらいは始めなくちゃ。

日本小説がブームだった頃

日本の小説が韓国で大ブームを巻き起こした時期がある。おびただしい数の本が翻訳出版された。

当時、日刊紙の記者から電話インタビューで「なぜ日本小説がこんなに人気を得ているのだと思いますか?」と聞かれて、まごまごしたことを覚えている。

電話が苦手で、インタビューも苦手な私にとって〝電話インタビュー〟なんて公開処刑に近い。言葉が思い浮かばず、思考回路も遮断された。どんなたわごとを言ったのか、まったく思い出せない。

私もそのブームに乗って、運よくこの業界に足を踏み入れたが、本当になぜあれほど日本小説が流行したのだろう。市場シェアが韓国小説を軽々と上回った年もある。おそらく、書籍の主な購買層である若者たちの好みが、重いものより軽いもの、文学的なものより大衆的なものへと変化していったからではないだろうか。

実際、その当時はおもしろい日本小説がたくさん出版された。ご相伴にあずかって、私もいい作品をいくつも翻訳した。プロフィールを書くときに、私はどんな本を翻訳してきたんだっけと思い返してみると、頭に浮かんでくるのは最近の作品よりも10年ちょっと前、ブームの頃に翻訳したものが多い。

当時翻訳した小説の訳者あとがきを見ると、日本小説がどれほど流行していたかがわかる。

『偶然の祝福』の翻訳を依頼されたとき、本当に何の期待もしていなかった。小川洋子さんの名声は十分存じ上げていたが、あふれる日本小説の洪水の中で仕事量はなすすべもなく増えていき、これはその積み上げられた本の一冊にすぎなかった。つまり、夜の間に積もった雪を朝起きてから片づけなければならないときのような、仕事への負担感と義務感がぎっしり詰まった本だった。

『偶然の祝福』203頁 訳者あとがき／文学手帳刊／2008年

この本は2008年に出版された。どれだけ仕事がたまっていたら、こんな生意気なことが言えるのだろう。もちろん、この先は——否定的に始まった話がみなそうであるように——とても素晴らしい作品だったと続くのだけれど。

出版社の事情によって発行年は異なるが、日本小説ブームがピークを迎えた2007年、私が一年間に訳した本のリストは次のとおりだ。

1　全思考（北野武）
2　坊っちゃん（夏目漱石）
3　姥《うば》ときめき（田辺聖子）
4　格闘する者に○《まる》（三浦しをん）
5　私が語りはじめた彼は（三浦しをん）
6　まほろ駅前多田便利軒（三浦しをん）
7　むかしのはなし（三浦しをん）
8　トワイライト（重松清）
9　肝、焼ける（朝倉かすみ）
10　シュガータイム（小川洋子）
11　偶然の祝福（小川洋子）
12　不安な童話（恩田陸）
13　しかたのない水（井上荒野）

14　シャングリ・ラ（池上永一）
15　14歳（千原ジュニア）

原稿用紙500枚前後の薄い本も数冊含まれているが、売れっ子作家の作品がこんなに入ってきたという事実が驚異的であり、その翻訳依頼をすべてこなしたという事実がいっそう驚異的だ。今だったら絶対に無理だと思う。インターネットやスマホに邪魔されるし、ずぼらは今に始まったことではないが、当時は30代後半で体力があった。そして、生きるのに必死だった。

しかしブームはいずれ去るもので、今となってはそんな過熱現象の痕跡すら見当たらない。数名の売れっ子作家だけが人気を維持している程度だ。こうした状況を喜ぶ人もいるかもしれないが、日本語の翻訳者としては、仕事に関わることだから複雑な心境である。後輩たちの仕事が大幅に減った。だからといって、私の口から「日本文学をたくさん読んでほしい」とも言いづらい。ただ、そんな時代があったという話だ。人間も文化も一度ぐらいは花咲く時期があり、咲けば散るのが世の常というものでしょう。

娘さんは翻訳をやらないの？

娘の静河は大学で日本語を専攻していた。だから、よく人に聞かれる。

「娘さんは翻訳をやらないんですか？」

翻訳家になってほしいと願ったことはない。それでも人生何が起こるかわからないので、娘が大学に入学したばかりの頃はこんな想像をしたこともある。私の本の訳者あとがきで成長ぶりを綴られていた娘が、いつか訳者あとがきを書く人になったらおもしろいかも。書店に母と娘が翻訳した本が並んでいたら感慨深いだろうな。でも、楽しい想像はここまで。

この仕事を愛さなかった日は一日もないが、我が子にやらせたいかというとそうでもない。母のコネを利用すれば、始めるのは簡単だろうけれど、長くやっていくには実力と根性が必要だ。生き残れたとしても、お金を稼げるとはかぎらない。こうした理由からおすすめはしたくなかったが、幸いといえば幸いなことに、静河の大学生活を見るかぎり、翻訳家になる可能性はほぼゼロに近いほど低かった。

インドア体質の私とは違い、長くつ下のピッピのような我が娘は出歩くのが大好きだ。家から3日間出られないだけでうつ病になりそうだという。翻訳は腰を据えて取り組まなければならない仕事だから、ここでひとまずアウト。性格的にも合わないし、才能も見られず、やらせたいという気持ちもない。決定打として、そもそも本人にやる気がなさそうだったので、娘が翻訳家になるという想像はとうの昔にしなくなった。

就職活動を始める4年生になると、娘は心からうらやましそうにこう言った。

「お母さんの仕事って、ホント最高だよね」

「でしょ。あなたもやってみたら」

「やらない。私が下手だったらお母さんまで悪く言われるもん」

たしかに。2人とも叩かれるかもしれない。試しにちょっとした文章を訳させてみたら、なかなかセンスがあったが、2人ともガラスのメンタルだから非難の声には耐えられないだろう。

娘が大学を卒業する頃、親しい編集者が「先生、静河さんは翻訳をやらないんですか？　リーディングのオファーをしてもいいですか？」とありがたい提案をしてくれた。

ああ、すごく貴重なチャンスなのに、と惜しい気がしたけれど、すぐ「まだ実力不足ですので」と丁重におことわりした。

一行メモ。娘は翻訳家になるつもりがない。

翻訳料金が上がった理由

7年前に仕事をしたことのある出版社から、翻訳の依頼メールが届いた。喜んでお引き受けして、以前より（原稿用紙一枚あたり）500ウォン高い翻訳料金を提示した。契約しましょう、という段になって「翻訳料金はこれで」「えっ、その額ではちょっと」となるとお互い気まずいから、あらかじめ話しておいたほうがいい。その後、返信がないので、予算が合わなくてキャンセルということだろうなと解釈した。便りがないのはNOの便り、返事がないのも返事だ。すると、忘れた頃にメールが来た。

弊社理事より、「7年前より翻訳料金が上がっていますが、値上がりに関して特別な理由があるのか確認させていただきたい」とのことです。

なんとまぁ。7年前よりチャジャン麺の値段が上がり、交通費も上がって、パンも高くなり、何もかもが値上がりしたというのに、翻訳料金だけが上がってはいけない〝特別な理由〟でもあるのか、逆に聞きたかった。この世でいちばん値上がりしないのが翻訳料金ではないだろうか。

政府、あるいは協会が定期的に賃金を引き上げてくれる業界は、本当にラッキーだ。その点、翻訳家には誰も興味を持たない。数年に一度、自分からおそるおそる５００ウォン上げたいと申し入れて、承諾してもらえたら値上げをするが、「建国以来、最悪の不況ですので」と出版社に泣きごとを言われたら「ですよね……」と引き下がるしかない。出版社のほうから「何年も翻訳料金が変わっていないので、上げておきます」といわれることは絶対にない。それでも不満というわけではない。フリーランサーは自分のギャラを自分で上げるものだから。

ふだん仕事のメールにはすぐ返信をするほうだが、問い合わせの内容にあきれ返り、気持ちを鎮めるのに数日かかった。礼儀正しく「世間の物価が全体的に上がっているので、翻訳料金も上がるのが当然ではないでしょうか？^^」と返信すべきか、「今回のご依頼はお断りします」とちゃぶ台をひっくり返す絵文字でも送るべきか。

結局、行間から腹立たしさがにじみ出ていたとは思うが、表向きは冷静を装って、７年で５００ウォン値上がりした〝特別な理由〟を書いて送った。

ところがよく考えてみたら、その出版社の翻訳料金は7年前の時点で他社より500ウォン低かった。だから、いきなり1000ウォンも値上げするとはどういうことなのか、と問い合わせがあったのだろう。その後、丁寧な謝罪メールが届いたが、編集者には何の罪もない。

ジンクスではないが、最初に翻訳料金を値切ろうとする会社とは、その後の支払いや作業をめぐってトラブルが起こりやすい。この出版社も例外ではなく、契約金の支払いが遅れてやきもきさせられた。なんと8カ月もかかったのだ。

通常は契約書を交わしてから1カ月以内、早ければ翌日に入金される。法律で決まっているわけではないので、もっと遅い会社も当然ある。「一部分を翻訳して納品すると、その日から1カ月後に契約金が入金される」という不思議な契約スタイルの大型出版社も存在するが、それでも1カ月以内には支払われる。

この出版社も契約書には1カ月以内と書かれていた。読者のみなさんは「ありえない！　8カ月も！」と驚かれるでしょうが、事実です。

原稿の納品まで終わったのに、契約金も翻訳料金も払ってもらえない。8カ月目になって、ガマンの限界が訪れた。督促の電話をかけることもなく、丁寧な言葉遣いでたまにメールを送るだけだったので、軽く見られたようだ。もっと強く出るべきだと思い、「SNSで社名を公表する」というメールを送った。すると、きっかり40分後に入金された。ちなみに、私はSNSをやっていない。

二度と思い出したくないほど嫌な記憶が残り、他の人にもあの出版社とは関わるなと忠告したいぐらいだったのに、実際はその後も仕事を引き受けた。仕事というものは、感情的な問題やお金のトラブルに目をつぶってでも絶対にやるべきときがある。

不思議なことに、再び仕事をしたときは完全に別の会社のようだった。支払いが数日遅れると（前例があるから、そもそも期待していなかったのに）、例の〝理事〟から「遅れて申し訳ない」と直々にメッセージが届いた。以前に比べれば、超スピード入金だった。

人とは単純なもので、過去に起こったことは、その後の行動によって忘れ去られていく。国と国も、個人と個人も、こんなふうに理解して、誤解して、和解しながら歴史を作っていく。「きみとはもう二度と……」「きみとは決してもう……」と心に誓った記憶も、生きていれば起こりうるエピソードの中のひとつになる。

印税か？　買い切りか？

翻訳料金はたいてい「買い切り」でもらっている。買い切りとは、本の実売部数にかかわらず、原稿用紙一枚当たりいくらという作業料をもらうことだ。ところがある日、「翻訳家もこれからは印税をもらうべきです」

初めてお会いしたA社の社長から「買い切り＋（一定部数以上）印税1％」という翻訳料金を提案された。出版社の利益を翻訳家と分かち合い、ともに幸せに生きていくべきだと強調する。じつに素晴らしいマインドをお持ちの社長だ。こんなことをおっしゃる方には今までお会いしたことがない。

他の翻訳家の印税を聞いて驚いた。そんなに収入があるなら、翻訳家は稼げない職業どころか高所得者だ。30年間やってきたが、リスが回し車をまわすように、家計がちっとも楽にならない理由がわかった気がした。買い切りの翻訳料金は少しずつしか上がらないうえに、年をとるにつれて作業量が落ちていき、むしろ収入が減っているのだ。そういうわけで、A社の翻訳料金はとても魅力的に感じられた。

印税の話ではないが、こんなふうに「共生しよう」というマインドを持つB社がほぼ同時期に現れた。編集者からの依頼メールにはこう書かれていた。

弊社は翻訳市場における最高待遇の料金に10％を追加するだけでなく、本の売り上げに応じたインセンティブをお支払いすることに致しました。翻訳家の先生や翻訳市場の状況を調査したところ、好循環が必要だと考えたからです。弊社が最終的に目指しているのは、多くの本が読まれる社会、多くの作家や翻訳家が専業で活動できる社会を作ることです。

これは、韓国が素晴らしい国になる兆しなのだろうか？　今まで聞いたこともないような美しい提案が次々と耳に入ってくるなんて。なぜ他の出版社は、これまでこんな素晴らしいことを実行してこなかったんだろう？　と思ったけれど、私が出版社の社長でもやらなかったと思う。わざわざ収入面に配慮しなくても、仕事をしたがっている翻訳家はたくさんいるから。

B社の残念な点は、最高待遇に10％を追加した金額が、私の現在の翻訳料金と同じだったこと。私の翻訳料金が高いわけではなく、そもそもの設定が低い。それでも、その気持ちがありがたいと思って、意見はしなかった。

影響されやすい私はA社の社長にアドバイスされたとおり、翻訳のオファーが入ってきたら、「買い切り＋（一定部数以上）印税1％」の料金を提示するようになった。このとき最初にもらう翻訳料金は当然、100％買い切りの場合より少ない。しかし、利益を得るにはリスクを取るべし。ちょっとした冒険だったが、長い目で見ればいい方法だと思った。

ところが、この条件で数冊やってみると、必ずしも正解ではないことがわかった。ベストセラーやロングセラーにならなければ、かえって損になる。少なくとも2～3万部は売れないと本来の買い切り料金に達しないが、初版3000部を売るのにも苦労するのが出版市場の現状。それほどうまいやり方ではない。いちばんいいのは、やっぱりケースバイケース。

あ、そういえば、ともに幸せに生きていこうという人類愛あふれるB社からは、原稿を納品して3年も経つのに何の音沙汰もない。初めて聞いた出版社だったので、社名すら思い出せない。ただ、訳している最中に、こんなひどい本を出してもいいのかな、と思ったことは覚えている。素晴らしいマインドを持つB社のような会社こそ、ベストセラーを出して専業の作家や翻訳家とともに幸せに暮らすべきなのに、本がこんなにうさん臭くていいのかしら。そんな心配をした記憶が鮮明に残っている。もしかしたら、B社もこんな本を出してもいいのかどうか葛藤して、作業がストップしているのかもしれない。ファ、ファイト……。

「新春文藝」で出会った縁

新春文藝の審査

韓国経済新聞主催の「新春文藝」〔新聞社や雑誌社が年初に毎年開催する新人作家発掘コンクール。作家の登竜門としての役割を担っている。現在、約30社が実施〕でエッセイ部門の審査員をやってくれないかというメールが届いた。あぁ、新春文藝。これは〝聞いただけで胸がときめく〟言葉だ。子どもの頃から新春文藝の入選作を読むのが楽しみだった。新年の朝、インクのにおいがする新聞を待ちわびていた記憶が鮮やかによみがえる。いつか私もきっと！　と新春文藝への挑戦を夢見ていたので、大人になって中高の同級生に再会すると必ずこう言われた。

「あなたの名前があるかもしれないと思って、新春文藝の入選者を毎年チェックしてたよ」

申し訳ないことに、腰が重い私はとうとう応募できずじまいだった。それなのに、光栄にも審査委員だなんて。私にそんな資格があるだろうかとためらったが、「エッセイのご著書を何冊も出していらっしゃるし、村上春樹をはじめとした数多くのエッセイ集を翻訳なさっているので」という担当者の話を聞いて、そうね、100冊近いエッセイを翻訳してきたから、少しは見識が広がったかもしれない、と無謀かつ勇敢に「やります！」と返信した。

それからまもなくして、A4用紙の原稿の山と向き合うことになった。すごくわくわくした。一段落読めば入選か落選かの判断はできるけれど、心を込めて書かれた物語を最後まで知りたくて、一行も飛ばさずに読んだ。

驚いたのは、応募者の年齢層が意外と高いこと（受け取ったのは個人情報を伏せた匿名の原稿だが、文章からわかる）。たしかに、最近は文学少女、文学少年という言葉を耳にしない。エッセイの名を借りて、恨《ハン》（思いどおりにならない悲しみやくやしさ、恨めしさなど、発散できないまま心の底にこもった感情のしこり）の多い人生を吐露する書き手が目立つ。テーマの多くが貧困、がん、母親、父親、若かりし日々の苦労。年配の方々が作家になりきって、丹念につづった人生が描き出されている。どうやらエッセイ同好会会員の参加率が高いようで、実力や情熱、フォーマットが似通っていた。もう少し若い層のテーマは、コロナや就職、失業、死。わくわくしながら読んでいた心が、しだいに沈み、重くなっていった。人生ではなくエッセイを審査しているんだ、と自分に言い聞かせたが、どの作品も落とすに忍びない。オーディション番組のように「脱落」「保留」「合格」の箱を用意して読み進める。そんな中、救世主のようにひときわ輝く作品を見つけた。ユ・ソンウンさんの『インテグラル』だ。

モノクロで記憶された私の幼少時代の思い出の中に、唯一、色つきで思い浮かぶ場面がある。青い冬の空、よその家の門に置かれた白い牛乳びん、その年、全国的に大ヒットしたカラフルなルービックキューブ。『インテグラル』を読んだとき、まさにこの情景が浮かび上がり、これこそ新年初の新聞に掲載されるのにぴったりの作品だと思った。

性格も考え方もまったく違う数学者の夫と息を合わせながら生きる平凡な日々を、さらりとした文章で気楽に書いた、さわやかな作品だ。

それぞれ数編のエッセイを選び、3人の審査委員が集まった。出版社マウムサンチェクのチョン・ウンスク代表、文学評論家のチョン・ヨウル先生、そして私。清心丸〔漢方薬。緊張や興奮を鎮め、不安をやわらげる効能がある〕を飲んで行こうと思っていたのに、娘の初出勤日でバタバタしていて忘れてしまった。ああ、緊張する。自分が選んだエッセイについて、きちんと理由を説明できるだろうか。

審査会議が始まり、担当記者の方に総評を聞かれた。おふたりの素晴らしい総評に続いて私が答える番になったが、ここで何を言っても蛇足というもの。「おふたりがすべておっしゃってくださったので……」と言ったら、すぐに終わった。内心「やった！」と叫んでいると、「今度はクォン・ナミ先生から」と選んだ作品の講評を求められた。えっ、あ、うーん。とてもいい作品だと短めにコメントした。最終選考に残った作品を審査する際、他のおふたりが私以上に『インテグラル』を絶賛し、満場一致で入選作が決まった。あぁ、よかった。審査を引き受けたときから、私だけが見当違いな作品を選んで恥をかくのではないかと心配だったので。

審査を終え、記者さんから「いつもはご自身が選んだ作品を推すために熱弁する方が多いんです。今回は、クォン先生が謙虚で簡潔なコメントをなさって、他の先生方が熱弁してくださる形だったので、とても雰囲気がよかったです」と言われた。思いがけず、謙虚な審査委員になりました。

チョン・ウンスク代表とチョン・ヨウル先生のおかげで、ときめきと不安でいっぱいだった新春文藝の審査を無事に終えることができた。読んだ作品の内容は今もまだ心の中に残っていて、時折エピソードが思い浮かぶ。大人たちはよく「私の人生を小説にしたら、本が数冊書ける」と言うけれど、応募されたエッセイはそんな大河小説のシノプシスなのではないだろうか。応募者のみなさんには、これからもずっとご自身の物語を書き続けていただきたいと思う。文章を書くことには誰の許可も資格もいらないのだから。

新春文藝の授賞式にて

新春文藝の授賞式に参加した。こんな素敵な文章を書くユ・ソンウンさんはどんな人なのか、ぜひ会ってみたい。ところが、コロナのせいで授賞式は純粋な〝授賞〟のみとなり、受賞者と挨拶を交わしたり食事をしたりする時間は割愛された。

ただでさえ緊張していたのに、受賞するユ・ソンウンさんに花束を渡す役割を任された。人前に出るのは苦手だが、審査委員たるもの、それぐらいお安い御用だというふりで引き受ける。授賞式の最中に、他の部門の審査委員が花束を渡すタイミングをしっかり観察した。いよいよエッセイ部門だ。タイミングを合わせて軽やかに歩み出る。あとはユ・ソンウンさんに「おめでとうございます」と花束を渡すだけなのだが、あらら っ。反対側からお連れ合いの方が先に花束を渡したので、ユ・ソンウンさんは私のほうを見なかった。進行スタッフの指示にしたがって、花束をプレゼンターに渡して壇上から降りた。ユ・ソンウンさんと素敵な2ショットを撮りたかったのに残念だ。

続いて、各部門の入賞者による受賞コメント。文壇にデビューしたばかりの作家たちによる所感は感動的だ。だからこそ、初心忘るべからずという言葉があるのだろう。

ユ・ソンウンさんはこんなコメントをした。

「夫の研究室で、日本の数学者が書いたエッセイ集を見つけました。著者は数学をなぜ研究するのかと聞かれて、〝野の花のように咲き、やるべき仕事をやるだけだ〟と答えます。誰かに〝なぜ文章を書くのか〟と聞かれたら、私もそんなふうに答えたいです。これからも野の花として、一生懸命に咲いていきます」

授賞式が終わった後、私は少し離れたユ・ソンウンさんの席まで行って名刺を渡し、お祝いの言葉をかけた。長話ができる雰囲気ではなかったので、作品のすばらしさについて二言、三言お伝えして帰ってきた。短い時間だったが、ご挨拶ができてよかった。

その翌日、ユ・ソンウンさんから、昨日は緊張してちゃんとご挨拶ができなかった、と長文のお礼メールをいただいた。その緊張、誰よりよくわかります、と返信しつつ、渡せなかった花束の話をした。娘に知られたら、まだ根に持っているのかと言われそうだけれど。

再び届いたユ・ソンウンさんからのメールを読んで爆笑した。授賞式が終わった後、帰宅したご夫婦は「この花束をくれたのはいったい誰?」と首をかしげていたというではないか。2人ともとても緊張していて、目の前で花束を抱えていた私に気づかなかったらしい。私からのメールを読んで、ようやく花束の謎が解けたと喜んでいた。

それからも、ときどきユ・ソンウンさんとメールをやりとりしている。書くことが好きなインドア派でおしゃべり好きという共通点があり、メールが長いところもそっくりだ。エッセイコンテスト受賞者の流麗な文章を読むのはとても楽しい。

審査委員と受賞者がやりとりするメールで『ソフィーの世界』や『あしながおじさん』みたいな手紙形式の本を作ったらおもしろいかもしれないという彼女のアイディアを心の中であたためている。数百篇の中から選んだエッセイによって結ばれた縁。そこから、どんな花が咲くだろうか? ドキドキ。

第2章

銭湯の娘だった翻訳家

辞書の編集者

岩波書店の奈良林愛さんは、私が翻訳した本の原書を担当した編集者だ。10年前、韓国語が上手な彼女にエッセイ集『翻訳に生きて死んで』を送ったことがきっかけで親しくなった。しばらく連絡できずにいたが、『面倒だけど、幸せになってみようか』を出版したときに、本を送りたくて久しぶりにメールをした。ソウルで奈良林さんと会った話や、小説『舟を編む』の翻訳にまつわるエピソードが載った本だと知らせた。すると、韓国語でこんな返信が。

先生と建大入口《コンデイプク》〔ソウル特別市広津区〕で会った日、午前中は会社で仕事をして、成田空港へ行く前に神保町の書店で『舟を編む』を買ったんです。当時は学術書の編集部で働いていましたが、今は『舟を編む』の主人公のモデルになった方の下で『広辞苑』の編集をしています。不思議ですよね。

わぁ、こんなふうにご縁がつながっていくとは。10年前にお会いしたとき、「三浦しをんさんが辞典編集部に通い詰めて取材をしていた」というエピソードとともに、『舟を編む』をプレゼントしてくれた奈良林さんが辞典編集部にいるなんて。あぁ、この本の続編は私が書くべきではないでしょうか。

私はすぐにメールを送った。今度エッセイを書くときにそのお話を入れたい、小説と実際の辞典編集部の雰囲気はどう違うのか、主人公の馬締《まじめ》のモデルになった上司はどんな方なのか聞かせていただけないだろうか、と。3〜4行ぐらいのエピソードだけでも教えてもらえたらという気持ちだったが、幼い息子2人を育てるお母さんはきっと多忙だから期待しすぎないようにした。

ところが翌日、とても長いメールが届いた（日本語で）。しがない私のエッセイ集に「力を貸してやろう」という思いがひしひしと伝わってくる。感動した。

現役の辞典編集者から届いたメールは、まるでもう一編の『舟を編む』を読んでいるような気分にさせてくれた。主人公の馬締は、小説の中だけに存在しうる人物だと思っていたが、奈良林さんの上司は、馬締そっくりの誠実なキャラクターだった。張り詰めた緊張感の中で、交流や親睦もなく、それぞれが自分の仕事に黙々と取り組む辞典編集部の雰囲気がリアルだ。

めったに聞けない興味深い話なので、メールの全文を掲載してもいいか聞いたところ「誰にも話す機会がなかった話ができてすっきりした」と快諾してくれた。

奈良林さんから届いたのは、こんなメールだ。

岩波書店の辞典編集部の話

広辞苑の編集部では、女性の課長さんが一人、そしてその上に副部長という肩書の男性上司がいます。この人が馬締くんのモデルと言われることもある人ですね。
副部長という肩書は、他の編集部もすべて統括する役目の部長がいてその下の職位ということで、広辞苑の編集では、この人が「編集責任者」になります。（編集長という言い方はしていません）
ものすごい集中力でもって、正確無比の仕事をする人です。
2018年1月に刊行された最新版（第七版）の改訂作業では、十数名の編集部員が校正刷を分担して読んで校閲するのですが、十数名それぞれの人が作業を終えた校正刷を、彼が一人で順番にチェックしていきました。

25万項目すべてに目を通すので、作業量は膨大です。編集部員が2、3日かかって作業を終えた1冊の校正刷を彼は2時間で目を通し、たくさんの問題点を見つけ出し、直していきます。

25万項目なので、校正刷が何十冊にもなりますが、自分の担当した冊を、編集責任者がチェックしている時は、ものすごく緊張します！　時には声を掛けられて、今後はこの点にもっと注意しなさいと指摘を受けることもありますので。指摘を受けないように、作業後何度も見直しているのですが、なんでそれでもたくさん問題点が出てしまうのか……。

編集責任者はめったに会社を休むことがなく、深夜も土日も働いていましたが、ごくたまに「熱が出て休みます」という連絡を受けることがありました。彼が体調を悪くしているときや、ストレスに打ち勝つためか机の上にカフェインのたくさん入ったエナジードリンクが置かれているのを見たとき、心の中で、「きっと私の作業の出来が悪かったせいだ……すみません」と謝りました。後で聞くと、そう思っていたのは私だけではなかったようです。

とにかく仕事を正確に高速で行っていく人なので、超優秀な機械のような印象を受けることも、あります。

自他ともに認める、完璧な人だと思っていました。

辞典編集部の人たちは、超多忙だったり、年齢がばらばらだったり、シャイだったりするために、「飲み会」とかランチに行くことって基本的にないんですね。定年退職する人を送る会や、著者を交えた懇親会がごくたまにあるくらいです。

だからプライベートなことや、本音を聞くような機会はほとんど無かったんです。たとえば、どこに住んでいて何人子どもがいるかみたいなことも、辞典編集部のメンバーになってずいぶん経ってから知りました。

それで、初めて、その人の小さい頃の話とか、編集作業が忙しかった頃の気持ちを知ることができたのは、広辞苑最新版がようやく刊行されて、販促イベントとして編集責任者がトークショーに出演したり、新聞取材を受けて出た記事を読んでのことでした。

人前で話すことがそれほど好きでもないようでしたが、今回は、広辞苑が売れるために、決心して広告塔になろうとしたそうです。

あるトークイベントで、広辞苑の編集責任者を引き受けたときは、その重圧からしばらく夜に眠れないほどだった、刊行前も、ストレスで眠れず、毎日ビールを飲んでいるという話をしていました。それを聞いて、今まで何も理解していなくてすみませんでした……と思いました。

彼だって自信ばかりあるわけではなかったんですね。ずっと優秀だから、失敗したらどうしようなんて気持ちは持っていないんじゃないかと誤解していました。

それから、『舟を編む』の文庫版あとがきは、その上司が寄稿しているのですが、それを読んで、彼もコンプレックスを感じることがあるのか……と思いました。（「私自身、うまく気持ちを言葉にできず人付き合いが苦手な悩みを馬締さんと共有し、また西岡さんと一緒に、器用貧乏でのめり込めるものがないのに変なプライドはある我が身をかえりみていた。」とあります。）

そして一番びっくりしたのは、三浦しをんさんが『舟を編む』の連載原稿を書き上げたあと、辞典編集の段取りに関することをチェックして欲しいとのことで、編集者から連載のコピーが届けられたそうなのですが、最終回の松本先生の手紙を読んで、夕方の職場で同僚たちの電話の声も聞こえるなか、人知れず涙ぐんだと書かれていたことでした。大変失礼なことですが、「彼も私と同じ人間だったんだな……」と思って、じーんと来てしまいました。

部会でよく語られることに、「校正は、その人の全人生をかけてするものだ」というのがあります。

また、「辞典の校正には、その人の人生が現れる。人によって、気付くことが違う。だから多様な人材が必要なんだ。」とも言われます。

育児休業から復職し、いきなり辞典編集部に配属されて、なかなか新しい仕事を覚えられず、部署に馴染めずにいました。

部会でも、なかなか自分の意見を言えませんでした。

あるとき、校正しているものの中に、「さくにゅう【搾乳】」という項目がありました。

その語釈は、「牛や山羊などの乳をしぼりとること。」となっていました。

それを読んだとき、違和感を覚えました。と言うよりも、ちょっと怒りを感じました。

なぜなら、私は長男が生まれたあと、長男がうまく母乳を飲んでくれなくて、母乳相談室に何度も通って、搾乳して哺乳瓶で与えるなどのこともして、ようやく直接授乳できるようになったからです。

私は牛や山羊じゃないのになあ、と思いました。

それで、この項目の語釈は改訂を提案しました。その意見を受け止めてもらえたことで、少し自信がついて、部会でも発言できるようになりました。

あとは、「時調」や「暗行御史」のような韓国関係の項目の校正は、張り切ってしました。

長文で本当に失礼しました。

私は韓国で新しい国語辞典が出たら、自分の勉強のために買いたいのですが、韓国では、広辞苑のような大きい紙の国語辞典の改訂は、21世紀に入ってから行われていないそうですね。

NAVERで利用できる標準国語大辞典を検索する人が多いと聞きます。

そうした環境にあって、韓国で『舟を編む』を読んだり観たりした人は、どういう感想を持ったのかな？　というのが知りたくて、いつか韓国で多くの人にインタビューしてみたいなと思っています。

ラブホテルの娘だった作家、銭湯の娘だった翻訳家

直木賞作家、桜木紫乃の小説『硝子の葦』を翻訳した後、訳者あとがきを書くために作家のインタビュー記事を探していたら、興味深い事実が見つかった。桜木紫乃の実家はラブホテルを経営していたという。その名も〈ホテルローヤル〉。『硝子の葦』の舞台も北海道東部に位置するラブホテル〈ホテルローヤル〉だ。ホテルの娘だった経験を活かして、作品にはそのシステムやスタッフの生活がリアルに描写されている。

桜木紫乃の父親は床屋をやっていたが、1億円を借りてラブホテルを始めたという。当時の1億円というと、かなりの金額だ。人件費を削って早く借金を返すために、15歳の少女だった桜木紫乃も毎日学校から帰ってくるとホテルの清掃を手伝った。シーツを取り替え、浴室を掃除し、アメニティを補充した。

インタビューを読んで、同志意識のようなものを感じた。私が15歳の頃、我が家は田舎で銭湯を営んでいた。一歳違いの桜木紫乃と私はほぼ同時期に、ひとりはラブホテル、

もうひとりは銭湯で育ったのだ。ケチなうちの父は自分でボイラー工をやり、母にフロント係を任せて、子どもたちにも仕事を手伝わせた。幸い、私は家から遠い学校に通っていたので、週末や休みの日だけ更衣室の見張り番や雑用をする程度だったが、入浴客でガヤガヤと騒がしい我が家が大嫌いだった。

今でこそ家で簡単にあたたかいお風呂に入れるが、当時の田舎ではまだ練炭で沸かした鍋のお湯で体を洗う家が多く、銭湯は大繁盛だった。帰宅してゆっくりしたくても休める場所などなく、私は家が銭湯であることにうんざりしていた。しかし、毎日男女が遊んで帰った後の汚れたシーツを取り替えて、使用済みのコンドームを捨てなければならなかった少女、桜木紫乃に比べれば、銭湯はまだましだったようだ。

そんなメンタル崩壊レベルの環境で思春期を送った桜木紫乃は高校卒業後、裁判所でタイピストとして働き、24歳で結婚して専業主婦となる。ここまでは小説と無縁の人生だが、第二子を出産した後に執筆活動を開始した。すごい。さらには、大人たちの無数の恋愛を目撃した経験をもとに『ホテルローヤル』という小説を書き、直木賞を受賞。性愛文学の代表的作家と称されるまでになった。まさしく〝自身の境遇を、躍進の踏み台にして〟成功した人だ。

銭湯の娘だった私の経験は何の役にも立たなかったが、それでも荒稼ぎ（？）する家で育ち、本を思う存分買ったおかげで、本に関連した仕事に就くことになった、と無理やり美談にしてみる。〈ホテルローヤル〉はなくなったと聞いた。我が家の銭湯も、遠い昔になくなった。

タイトルを変える

翻訳書はたいてい原書のタイトルのまま出版されるが、たまにまったく違うものに変更されることがある。「翻訳家が題名をこんなふうに訳した理由が理解できない」という書評を見かけることもあるけれど、タイトルは１００％出版社によって決められるのです。

正直言って、私も内心「どうしてこんなタイトルにしたんだろう」とぼやきたくなるときがある。でも、タイトルの決定に翻訳家の意見が反映されることはほとんどない。翻訳家が「イマイチだと思います」なんて言っても、１グラムの重みもない。

出版社ではマーケティング部の意見が最も強いという。ボランティアではなく、売るために本を作っているのだから当然だ。タイトルを見て腰を抜かすこともあるけれど、著者と日本の出版社の許諾を受けて変更しているのだから、翻訳家が気に入っていなくても何の問題もない。

今まで翻訳した本の中で最も衝撃的だったのは、『ラブコメ』という原題が『バナナで釘を打つほど寂しい！』に変わったとき。一体……どういう意図でこんなタイトルにしたのかわからない。本棚に並べておくのも恥ずかしかった。

2020年、小川糸さんの『洋食 小川』が韓国でも出版された。小川糸さんが公式サイトにアップした文章をまとめた、ほのぼのエッセイ集だ。ところが届いた校正紙を見ると、タイトルが『人生はしゃぶしゃぶ』になっていた。幽霊でも見たかのように驚いた。

前述のように、私の意見はたいして反映されないが、それでも突進してくる車を全身で止めるような気持ちで「このタイトルはないと思います！　原題のほうがずっといいです！」と叫んだ。しかし、編集部とマーケティング部の協議のうえで決まったタイトルだということで、そのまま進められた。いくら何でもひどい、と思ったが、私がでしゃばる問題ではない。どんなタイトルになっても、私には金銭的な損失もなければ、利益もないし（買い切りだから）。

ところが、出版間近だったはずの本がいつまで経っても発行されない。どうやら小川糸さんも私と同じく、タイトルに驚いて承諾をしなかったらしい。

かつて小川糸さんの『リボン』という小説が『バナナ色の幸せ』となって出版されたことがある。完成した本が届いたとき、自分が訳した作品であることに気づかなかった。韓国版タイトルをそのとき初めて知ったのだ。あぁ、バナナが入ったタイトルがトラウマになりそう……。当時も仰天したが、これを承諾したということは、小川糸さんはタイトルの変更をあまり気にしないタイプなんだな、と思った。そんな彼女もさすがに『人生はしゃぶしゃぶ』は受け入れられなかったようだ。表紙のデザインも完成していたが、タイトル変更の許可が下りず、出版が遅れていたというわけである。出版社から意見を聞かれ、原題のままでいこうと再び話した。最終的に、原題『洋食 小川』に決定した。

『洋食 小川』の刊行後、ちょうど他の出版社からも私が翻訳した小川糸さんのエッセイ集が出た。原題は『針と糸』。校正紙を見ると、『人生は不確かなことばかりだから』というタイトルに変わっていた。原題よりずっといい気がした。でも、小川糸さんに気に入ってもらえなかったら、また表紙のデザイン作業をやり直すことになる。編集者に『洋食 小川』の事例を話し、まずはタイトル変更の許諾をもらったほうがいいと勧めた。幸い、このタイトルはすぐに承諾してもらえたそうだ。

タイトル変更の話をしたついでに、懐かしのサイワールド〔cyworld。韓国で1999年に開設され、2000年代に大流行した実名制のSNS〕の時代までさかのぼってみよう。ネットサーフィンをしていて、女優チェ・ガンヒさんのサイワールドにたどりついたことがある。本をたくさん読むという彼女のページには読書掲示板があったので、私が翻訳した本も入っているかなとリストに目を通した。

あった。鎌田敏夫の『恋愛中毒』という小説を読んだという投稿が。映画『シングルス』〔鎌田敏夫脚本のドラマ『29歳のクリスマス』をリメイクした2003年公開の韓国映画〕の原作だという紹介に続いて、感銘を受けたという内容の短い感想が書かれていた。ところが、コメント欄にはタイトルに関する意見が入り乱れている。

A：あれ？『29歳のクリスマス』ですよね。タイトルが間違ってますよ。
B：私も『恋愛中毒』を読みましたが、この本ではないみたいです。
C：正しくは、『29歳のクリスマス』です。
D：『恋愛中毒』は山本文緒のベストセラー小説ですよね？
E：映画『シングルス』の原作は、『29歳のクリスマス』ですが……。

A、B、C、Dまでは2005年のコメント。Eはそれから2年が経った2007年のコメント。私がこの投稿を見たのは、2008年だった。時を越えて、芸能人のサイワールドでコメント合戦が続いているなんて。実名が表示されるサイワールドにコメントをするのはややためらいがあったが、かなり昔の投稿だし、見る人もいないだろうと思って正解を書き込んだ。

原題は『29歳のクリスマス』ですが、韓国で初めて翻訳出版されたときは『恋愛中毒』というタイトルでした。映画『シングルス』の公開後、原題の『29歳のクリスマス』にタイトルが変わって、再び出版されました。

コメントをしたことすら忘れていたある日、サイワールドのコメント通知が届いた。「ん？　何も投稿していないのに何かな？」とクリックすると、なんとチェ・ガンヒさんからの返信ではないか。

そうなんですすです。私は『恋愛中毒』を読んだのです。ありがとう。

コメントを書き込んでから4年が過ぎた頃だった。さすが、律儀なチェ・ガンヒさん。

変更されたタイトルを見て、初めて腹が立ったのがこの『恋愛中毒』だ。29歳の頃、ちょうど東京に住んでいた私は、『29歳のクリスマス』を毎週欠かさずに観ていた。大好きだったドラマのノベライズ本を翻訳できることになってものすごくうれしかったのに、『恋愛中毒』という的外れなタイトルで出版されて、どんなに悲しかったか。ほぼ同時期に出版された山本文緒のベストセラー小説『恋愛中毒』に埋もれて目立たなくなってしまったし、なぜ『29歳のクリスマス』という原題を使わなかったのか、まったく理解できなかった。〝クリスマス〟という言葉を使うと、季節が限定されるからだろうか。

タイトルは、本の売り上げに絶対的な影響を及ぼす。だから編集部とマーケティング部が熟考したうえで決定される。翻訳をする私より、読者やマーケットに近い方々の考えが正しいはずだ。ときには読みが外れることもあるけれど。

よっぽどのことがないかぎり、なるべくなら原題のままがいいと思う。

40代の佐野洋子

『私の猫たち許してほしい』を読んで、ふと先生にメールを書きたくなりました。あのときお仕事をご一緒したきりですが、お変わりありませんか。

佐野洋子の本、おもしろかったです。先生の翻訳のおかげでいっそう楽しく読めました！

巻末の訳者あとがきがとてもよかったです。読者として、業界の人間として、感謝申し上げます。


訳した本が多いので、一緒に仕事をした編集者の名前をすべて覚えているわけではないが、タイトルを聞けばすぐに思い出す。『翻訳に生きて死んで』にも登場したこの編集者は、「先生のソウルフルな翻訳に背中を押されて」と、『かもめ食堂』の編集を終えてからフィンランドへ旅立った。久しぶりの連絡がうれしい。お褒めの言葉をいただいて、パソコンに保存されていた訳者あとがきを読み返してみた。

私の猫たち許してほしい

『私の猫たち許してほしい』は、『役にたたない日々』と『死ぬ気まんまん』で2015年、韓国に一大旋風を巻き起こした佐野洋子さんが40代の頃に書いた初のエッセイ集だ。

絵本作家でありイラストレーターであり、エッセイストだった佐野洋子さん。〝貧しい農民だった先祖の遺伝子を受け継いで、ちっとも遊ばなかった〞という彼女は、出産でしばらく休んでいる間も仕事をしていないことに罪悪感を抱いたというほど生涯エネルギッシュに働き、2010年に乳がんで亡くなった。72歳だった。

あと2年しか生きられないと告知された日、彼女はそれまで毛嫌いしていた外車を買った。余命宣告を受けた瞬間、それまで患っていたうつ病が吹き飛びそうなほど楽しい気分になったという。実際に、彼女は残された人生を楽しく颯爽と「死なんて、どうってことない」という態度で生き、この世を去った。死に臨むポジティブな姿勢にほれぼれした。あぁ、こんなふうにすがすがしく死を受け入れて、愉快に世を去る方法もあるんだな、素敵なハルモニ《おばあさん》だなと感動した。

毒舌スタイルを一生貫き、頑固で気難しい面を持ちながらも、「ヨン様のせいで全財産を使い果たした」とジョークを飛ばす韓流ファンの佐野洋子さん。はたして40代の頃はどんなことを考えながら生きていたのだろう、中年期は自身の老年と死についてどう考えていたのだろうと、わくわくしながら翻訳を始めた。

40歳になって振り返る幼少時代、思春期、大学時代、留学、出産、現在。月並みな表現ではあるが、〝記憶の片鱗〟を集め、履歴書のように時系列に沿って、人生と思考が淡々と語られていく。温好でも親切でもなく、優しさや愛嬌などみじんも持ち合わせていないかのような彼女は、最近の言葉で表現するなら、まさしくセンオンニ（強いお姉さん）タイプだ。だからドイツ留学時代、下宿先のおばあさんに「私もお前も黒い心を持っている」と言われたのだろう。センオンニの尋常ならぬ気迫がドイツ人にも伝わったに違いない。翻訳をしながら、おばあさんの表現に激しく共感した。

しかし、このセンオンニも息子の前では柔和な母親だった。赤ちゃんにおっぱいを飲ませながら、この子が80歳になったら孤独をどう耐えるのだろうと涙を流す母親がいるだろうか？　私もかなりの親バカだが、これにはさすがに「負けた」と思った。

父親に「おまえはきりょうが悪いから、嫁のもらい手はあるまい。何か手に職をつけておけ」と言われて、美大のデザイン学科に進んだというが、父親の暴言とは裏腹に早く結婚した。美大出身の両親をもつ息子は現在、絵本作家として活動中だ。

佐野洋子さんは1938年生まれ。その時代に、貧しい家から大学へ進学し、留学をした彼女の開かれた意識と生活力、人生を切り開く精神に驚かされる。

彼女の文章はあたたかいかと聞かれたら、ちっとも、と答えるだろう。彼女が聞かせてくれる成長過程のエピソードを見ても、あたたかい心を育むことのできる環境ではない。母は幼い娘に冷たく、「私のお母さんはまま母なのかもしれない」と常々思っていたほどだという。インテリだったという父親も娘に対する物言いがきつい。でも、あたたかい人柄ではないから何だというのだろう。どんな環境でもめげずにたくましく、激しく生きてきた彼女の率直な文章はすがすがしい。まだ若いという自負心と現実に対するプレッシャー、未来への不安が入り乱れた40代の佐野洋子さんは、精いっぱい気難しくトゲトゲしく、誰よりも熾烈に生きた。だから老年期に余命宣告を受けたとき、あれほど余裕を持って死を迎えることができたのではないだろうか。

彼女の文章と絵は、繊細ながらも荒々しい。センオンニのか弱い胸の内のようだ。死を前にして、あれほど愉快痛快だった佐野洋子はこの本のどこにもいない。ただ、たくましく堂々と生き、度胸のすわった40代の中年女性がいるだけだ。

韓国では『朝目がさめたら、風の吹くままに』というタイトルで出版された。翻訳家はタイトルに関与しないと前述したが、この本にかぎっては本文の翻訳も終わらないうちから編集者に変更を提案した。理由は、「私の猫たち許してほしい」というエピソード（幼い頃、兄と一緒に猫を屋根の高さから落として、猫がちゃんと立てるかどうかを実験した。これを繰り返した結果、猫がしばらく動けなくなる）がとても残酷だったからだ。心あたたまる猫の物語だと思って買った読者ががっかりしたり、残忍なエピソードによって愛猫《あいびょう》家《か》が傷ついたりすることのないよう、誤解の余地がないタイトルにしてほしいと伝えた。無類の猫好きである編集者は、この提案を快く受け入れてくれた。

冒頭のメールをくれた編集者はこの本を読んで、ドイツに留学すると言っていた。そろそろ帰ってきた頃だろうか。

酒どろぼう

花が誰かに名前を呼ばれて花になる（金春洙《キム・チュンス》（1922-2004年）の詩「花」の一節〈私がその名を呼んだとき、それは私のもとに来て花となった〉より）なら、誤訳は誰かに発見されて誤訳となる。わざと誤訳をする人はいないから、指摘される前までは正しい翻訳という仮面をかぶっている。屈辱の誤訳は、翻訳家にとって最大の恐怖。常に神経を尖らせていても、ゾンビのように不意に飛び出してくる。考えただけでもゾッとする。

先日、校正紙を読んでいたら、背筋が寒くなるような誤訳が見つかった。どんな誤訳であれ、発見すれば幽霊に出くわしたとき以上にドキリとするが、これは私が特に疑いを持たずに訳した部分だったから、よけいにギョッとした。「酒どろぼうとは、酒を盗みたくなるほどおいしいという意味で〜」という文章だった。この部分だけなら意味が通っているが、後に続く文章とのつながりが不自然なので、日本人の知人に尋ねてみた。すると、なんと原文の〝酒盗〟は「シュトウ」と読み、酒どろぼうではなく、魚の内臓の塩辛だというではないか。どうりで、酒によく合うという内容が続いていたわけだ。最強のおつまみだから、酒どろぼうと名づけられたのだという。いくらそうだとしても……あんまりではないか。カンジャンケジャン〔生のワタリガニを醤油ダレに漬けて熟成させた料理〕も飯《めし》どろぼうと呼ばれるけれど、正式名称ではない。魚の内臓の塩辛を酒どろぼうと名づけるなんて。

というわけで、酒盗は酒どろぼうと訳すのではなく、「シュトウ（酒盗／訳注：魚の内臓の塩辛）」とするべきだった。

翻訳のときに最も危険なのは、よく知っていると思い込んでいる単語だ。うろ覚えならきちんと調べるけれど、確実に知っていると思って訳すと、ミスをしでかすことがある。

たとえば、「勉強」とは学問や技術を学ぶことだ。それ以外の意味があるなんて想像すらしなかった20代半ば、東京で市場の買い物客が「勉強してください」と言うのを耳にした。雰囲気からして値切ろうとしているようだが、どうして勉強という言葉が出てくるんだろう。そう思って辞書を引いたら、「勉強」という単語の3番目の意味に「価格を安くする、割引する」とあった。やはり「勉強してください」は「まけてください」という意味だった。こんなふうに、代表的な意味がはっきりしている単語ほど誤訳しやすい。その他の意味を調べようとしないからだ。

酒盗と酒どろぼうのことを知人に話したら、「日本語の翻訳をしているのに、かの有名な酒盗を知らなかったなんて」とからかわれた。たしかに、私はテレビのグルメ番組で韓国料理を見ても、あんな料理があるのかと驚くような人間だ。新しい料理を食べる勇気がなくて、いつも同じ店にばかり行くタイプ。でも、この誤訳を発見して以来、飲食店選びを人に任せるようになった。自分で決めると、新しい店に行って新しい料理を注文する機会がないから、一緒に食事をする相手に任せて「おぉ、こんな料理もあるのか」と学んでいる。できるかぎりたくさんの料理に接することも、翻訳の勉強だということに気づいたのである。遅まきながら。

訳注をつける

山を下りて町まで出ると、一軒だけ本屋さんがある。文房具屋さんと酒屋さんも兼ねた、小さな本屋さんだ。雑誌が主で、背の低い文庫の棚がひとつ。単行本は、一冊しか置いてなかった。本屋大賞をとった本だ。いつかこの本屋さんに私の本が置いてあったらうれしいだろうなあとしみじみ妄想する。しみじみと無理だと思う。

——宮下奈都『神さまたちの遊ぶ庭』

訳注をつけなければならない単語はないが、ぜひ補足したい内容があって1行追加した。

訳注）しかし著者は2016年、『羊と鋼の森』で本屋大賞を受賞した。

こんな訳注をつけたこともある。『ちびまる子ちゃん』で知られるさくらももこのエッセイ集に、三谷幸喜との対談が掲載されたものがある〔『たいのおかしら』〕。三谷幸喜は数多くのヒットドラマを生み出した一流の脚本家であり、映画監督で、チャン・ハンジュン監督〔2002年、映画『ライターをつけろ』で監督デビュー。映画『記憶の夜』（2017）の演出、ドラマ『サイン』の脚本・演出を手がける一方、俳優やタレントとしても活躍〕のようにウィットのきいた話し方をすることで有名だ。ご本人も人前に出るたびに笑いをとらなければいけないというプレッシャーが大きいという。私はこのお二人のユーモアセンスが大好きだ。

この対談が行われた当時、さくらももこと三谷幸喜はすでに国民的な人気を誇っていた。奇想天外でユーモアあふれる二人の対談はとめどなく広がり、三谷幸喜の妻の話題になった。日本の読者のほとんどは三谷幸喜夫妻を知っているが、韓国では知らない人も多いだろうと思い、こんなふうに訳注をつけた。

訳注）対談当時、三谷幸喜の妻は映画『かもめ食堂』に主演した小林聡美だった。2011年に離婚。

以上2つの訳注は、なかったとしても問題はない。知っていればおもしろいけれど、知らなくても構わない内容だ。でも、次のように、知らなければまったく理解できない

ケースもある。

「大きな鼓《つづみ》と小さな鼓でしょ？」
「葛籠《つづら》です」

三浦しをん『まほろ駅前番外地』

何の前触れもなく、こんなふうに突然登場するのは民話の内容であることが多い。これが「しゃくしで頬をぶたれたんでしょ？」「しゃもじです」という会話だったとしたら、韓国人は欲張りな兄嫁にしゃもじで殴られたフンブ〔韓国の昔話『フンブとノルブ』より。欲深いノルブは亡くなった両親の財産を一人占めしようと、弟のフンブの家族を家から追い出す。フンブはおなかをすかせた子どもたちのために、ノルブの家を訪ねてご飯を分けてほしいと話すが、ノルブの妻にしゃもじで頬をひっぱたかれてしまう〕を連想するが、『フンブとノルブ』の昔話を知らない他国の人には何のことかわからない。訳注が絶対に必要だ。

翻訳の仕事をしていても、日本の昔話をすべて知っているわけではない。なぜこんな言葉が出てきたのかな？　と思ったときは、キーワード（大きな鼓、小さな鼓、葛籠）をYahoo! JAPANで検索してみる。やはり昔話だ。そこで、要約して訳注をつける。

訳注）日本の昔話『舌切り雀』に登場するエピソード。雀が優しいおじいさんに恩返しをするために「大きな葛籠か、小さな葛籠を選んでほしい」と言う。おじいさんが選んだ小さな葛籠からは金銀財宝が出てくるが、欲張りなおばあさんは大きな葛籠を選んで懲らしめられるという内容。

訳注はどこまでつけるべきだろうか。翻訳をしながら、いつも悩む問題だ。私にわからないことは読者にもわからないという判断基準でいいのだろうか。私は知っているけれど、読者は知らないかもしれないと思うとき？　私は知っていて、読者も知っている人がほとんどだろうけれど、ひょっとしたら知らないかもしれない一部の読者のために？　迷った末に訳注をつけることもあれば、ほどほどに済ませることもある。決して面倒だからではない。あまりにも親切すぎる訳注は可読性を下げ、文章を読みづらくする恐れがあるからだ。巻末につけたとしても同じだ。

個人的には注釈の多い本があまり好きではないから、読者の半数以上が知らないだろうと思われる固有名詞だけにつけたいが、実際は着物、浴衣、畳……といった単語にまで訳注をつけている。日本小説の読者なら、こういう単語を知らない人はいないのではと思うのだけれど、編集者はほとんどの固有名詞に訳注をつける。その苦労を減らすために、私もつける。

あまりにも懇切丁寧に注釈をつける編集者がいて、校正紙に「訳注が多すぎます^^」と冗談めかして書いたこともある（編集者がつけた注釈は、正確には〝編集者注〟だが、この場合、翻訳家がつけなかった注を代わりにつけてくれたということだ）。

でも、訳注でいっぱいの校正紙を見ていると、最終的には「本当に心を込めて本を作っているんだなあ」としみじみする。結局、訳注をつける範囲は翻訳家ではなく、編集者が決めることになるようだ。本が船だとしたら、編集者は操舵手だから、彼らが最大限正しい方向へと導いてくれるだろう。

この文章を書きながら、ふと気になった。知らない単語に訳注がついていないと出版社にクレームを入れる読者はいるのだろうか？　クレームを入れるよりスマホで検索したほうが早いとは思うけれど。

出版社へのアピール

ある日、外出から帰ったら、娘の静河が『翻訳に生きて死んで』を読んで、感動の海に溺れていた。「お母さん、この本すごくいいね。ヤバイよ」と言いながら、とめどなくあふれる感動を語った。本が出版された10年前はまだ幼くて何気なく読んだ部分が、今では心に響くようになったらしい。あるいは、就職活動中だから、仕事の世界に感情移入したのかもしれない。

「お母さんはただ運がよくて翻訳家として活動しているんだと思ってたけど、こんなに努力してたなんて」

成人してから、育児日記や幼い頃の写真を見たときも「お母さんがこんなに心を込めて育ててくれたなんて知らなかった」と言われた。これだから、人間はちょっとしたことでも記録を残しておくべきなのです。

たいして体を動かすこともなくパソコンの前でひっそり作業をしているから、特に難しいことをしているようにも見えず、それほど熱心に働いているようにも見えなかったのだろう。「昔は、日本に行って本をいっぱい買ってきて、出版社に翻訳本の企画を出したりしてたのよ」と駆け出しの頃の苦労話をしたときも、ロマンあふれるエピソードにしか聞こえなかったようだ。

高いスペックもなく出版界にコネもない人間が翻訳業界に入り込んでポジションを築くには、コツコツと努力を重ねる必要があった。

実は、『翻訳に生きて死んで』がマウムサンチェクから出版されることになったのも地道な努力の賜物だ。発行されたのは2011年だが、2006年から私はこの出版社を通してエッセイ本を出したいと心に決めていた。マウムサンチェクのエッセイ本は手に取りやすいうえにクオリティが高く、装丁が美しいからだ。でも、この出版社の本を翻訳したこともなければ、知り合いの編集者もいない。書きためた原稿もないのに、門を叩くことはできなかった。たとえ原稿があったとしても、ようやく10年目を迎えた翻訳家に本が出せるはずがない。

そこでまずは自分の存在を知らせるべく、マウムサンチェクの公式ホームページの自由掲示板に短い挨拶コメントを残した。日本文学を翻訳しているクォン・ナミだと名乗ると、光栄だと（記憶が美化されているかもしれない）歓迎してくださり、コメントを返してくれた。おぉ、脈あり（と思ったが、どの書き込みに対しても親切だった）。そこから、忘れた頃にときどき掲示板にコメントをしてネット上で親交を深め、やがて実際にお会いすることになった。そして4年後、マウムサンチェクから『翻訳に生きて死んで』が出たのを見よ。意志の韓国人（1970年代に韓国のビタミン剤のCMで使用され、流行語となったキャッチコピー）です。

翻訳家の後輩にアドバイスを求められたときは、いつもこう言っている。「出版社にコツコツと存在をアピールすべし」と。翻訳したい原書はAmazonで注文してもいいし、大型書店の海外書籍コーナーで買ってもいい。企画書を作成して、本のジャンルに合う出版社にメールを送るのが最も簡単なアピール方法だ。

ただ送るのではなく、サンプル翻訳をすりへるほど磨き上げて、ベストな状態に仕上がった段階で送らなければならない。大切なのは〝翻訳がうまい〟自分の存在を知らせること。単に「私、翻訳家です」とアピールしても面倒がられるだけだ。

見本を持って売り場をめぐる営業マンと比べたら、翻訳家なんて楽なもの。パソコンの前で指だけ動かせばいいのだから。門前払いされることもないし、無視されても見えないし、返事をもらえたらありがたいけれど、もらえなくてもそれだけのこと。送るのは自分の意志、断るのは彼らの意志。メール1本送ったからといって期待しすぎずに、くじけず、石を穿《うが》つ雨だれのように、ゆっくり少しずつ挑戦したい場所の壁を突き抜けていきましょう。

紀伊國屋書店

東京でいちばん好きな場所を聞かれたら、迷わず神田古書店街と紀伊國屋書店だと答える。お気に入りの場所というのは、景色がよかったり、思い出があったりするものだが、私にとっては断然後者だ。翻訳を始めた20代半ばから、切実な気持ちで歩き回った思い出が詰まっている。ここは足を踏み入れたぶんだけ、金を採掘できる鉱山のように見えた。必死に足で探した本を翻訳の仕事につなげるのは思った以上に難しかったが、それでも数冊は出版までこぎつけて、それを足がかりに実績を築いていった。

しかし、それも20〜30年前の〝昔の〟話。ネット社会になってからは、わざわざそこまでする必要はなくなった。家でゆっくりAmazon Japanを見ながら、本を購入できるから。それに最近は、エージェンシーから出版社にすぐ新刊情報が送られるので、「いい本があった！」と思ったときには、残念ながら出版契約がすでに結ばれているとか、翻訳が進行中という確率が高い。

数年前、久しぶりに一人で日本旅行をしたとき、紀伊國屋書店に立ち寄った。懐かしくて、相変わらず心ときめく遊び場だった。そうそう、この本のにおい。やっぱりいいなぁ。ちょっとだけ見ていこう、と思って入ったが、職業柄、つい翻訳出版できそうな本を探してきょろきょろ。結局、予定外の本を山ほど買ってしまった。残念なことにこのとき買った本は2、3冊をのぞいて、まだ新品のまま本棚のどこかにささっている。

書店の外にあるワゴンには、現役のお笑い芸人として初めて芥川賞を受賞して話題を呼んだ作家、又吉直樹によるおすすめ本が20点ほど並んでいた。〈『劇場』と恋愛〉をテーマとした小説とエッセイ集だ。本の虫として知られる又吉直樹が薦める本なら、おもしろさや作品性は保障されているだろうし、何冊か選んでみようかなと再び職業病が発動。

しかし、新刊ではないので、韓国で出版されているかどうかの確認が必要だ。いちばん心惹かれた小説をスマホで検索してみた。ありゃ、もう出てる。次の本を検索した。おっと、これも出版されてるのね。なんと、そこにあった本のほとんどが韓国で翻訳出版されていた。なぜタイトルすら耳にしたことがないのだろうと思ったが、私はあまり翻訳書を読まないから無理もない。それでも調査をしたおかげで、無駄な出費をせずにすんだ。

ワゴンから少し離れた簡易レジのスタッフがずっと私を見ている。本を手にとっては スマホで検索をする怪しい人物に神経を尖らせていたに違いない。こんな経験は多い。携帯電話がなかった時代は、手帳にタイトルや出版社の電話番号をメモしていたので、よけいに怪しく見えたはずだ。そうやって連絡先を調べたら、静かな場所にある公衆電話を探して出版社に電話をかけ、版権が空いているかどうかを確認していた。

「韓国から来た翻訳家なのですが、御社の〇〇〇という作品がとてもよかったので、韓国で出版したいと思っています。失礼ですが、翻訳出版の契約は可能でしょうか？」

メモ用紙に書いた日本語を見ながら、〇〇〇の部分を変えて何本も電話をかけた。たいていの会社は親切に答えてくれた。本にはざっと目を通しただけで、まだじっくり読んだわけではない。最初は契約の可否を確認する前に本を購入してお金を無駄にしていたが、慣れてきてからは順序を逆にした。

今でも電話が大の苦手なのに、当時は本当に勇敢だった。こんなときはすぐに検索ができるスマホがありがたい。

この日買った本の中で、純粋に読書用として選んだのは、１９６７年から２０１６年までの子どもたちが書いた詩集〔『ことばのしっぽ――「こどもの詩」50周年精選集』読売新聞生活部監修〕だ。明るい詩を書いたたくさんの子どもたちは、今ごろどんな大人になっているだろうか。幼い頃、詩を書いていた時期が私にもあった。掲載作品の中で、アーモンドチョコレートのチョコレートだけを食べて、アーモンドを土に埋めた子どもが、毎朝水をやりながら「はやくチョコレートになあれ」と祈る詩がひときわかわいらしい。今でもときどき、この詩集を読んでいる。このとき紀伊國屋で選んだ中で唯一、元が取れた本だ。

今度から紀伊國屋で本を買うときは、路線をしっかり定めなきゃ。自分が読みたい本なのか、翻訳出版したい本なのか。どっちつかずの本を選んだら、読みもしないし、出版企画も出せず、海を渡ってきた甲斐もないまま、ブックエンドになるだけだから。次に日本へ行けるのは、いつになるかわからないけれど。

物議を醸した本

津原泰水《やすみ》という日本人作家が幻冬舎から文庫本を出す直前に、同社から先に出版されていた別の作家の本をツイッターで批判した。「これはネット上で拾い集めた文章をコピペして、自分の意見をわずかに付け加えただけの本だ」と。

批判された作品は、極右派の嫌韓作家として有名な百田尚樹の『日本国紀』。日本は世界一だと称える、国粋主義に満ちあふれた自国礼賛本だ。65万部以上売れたという。

幻冬舎は「『日本国紀』販売のモチベーションを下げている者の著作に営業部は協力できない」と津原泰水に通達し、作業が大詰めを迎えていた文庫本『ヒッキーヒッキーシェイク』の出版を取りやめた。彼は不当だとして、文庫化中止の顛末をツイッターにアップする。案の定、ネット上で大炎上が巻き起こり、出版社は激しく非難された。すると、出版社の社長〔幻冬舎社長の見城徹氏〕はこんなツイートをした。

津原泰水さんの幻冬舎での1冊目。僕は出版を躊躇《ためら》いましたが担当者の熱い想いに負けてOKを出しました。初版5000部、実売1000部も行きませんでした。2冊目が今回の本で僕や営業局の反対を押し切ってまたもや担当者が頑張りました。実売1800でしたが、担当者の心意気に賭けて文庫化も決断しました。

卑怯にも、実売部数を公開してしまったのだ。この発言はネット上でさらに大きな反感を買い、他の作家や評論家からもこれはあんまりだという非難の声が上がった。結局、出版社の社長は謝罪コメントを出し、ツイッターのアカウントを停止する。

この騒動を受けて、早川書房の編集者がすぐにその文庫本の出版契約を結んだ。そして、本の帯にこんなキャッチコピーをつけた。

この本が売れなかったら、私は編集者を辞めます。

早川書房　塩澤快浩

終わりが見えないほど仕事が立て込んでいた私のもとに、この本を翻訳出版すべきかどうか検討してほしいとリーディングの依頼が入った。なんと408ページものボリューム。編集者は「数ページ読んで簡単な感想を聞かせてくれるだけでもいい。正式な検討資料は作成しなくていいから」とかなり気を遣ってくれたが、引き受けた以上そういうわけにはいかない。

まずはネットの読者レビューに目を通した。「こんなにおもしろい本が（単行本のときは）なぜ売れなかったか〔2016年に幻冬舎から単行本、2019年に早川書房から文庫版が刊行された〕のかわからない」というレビューが多い。読者までこう言っているなら、韓国で売れそうかどうかを検討するのではなく、本当におもしろいのか確認してみなければという気持ちが大きくなった。結局、その分厚い小説を最後まで読み切った。退屈な部分は飛ばしたりもしたけれど。そして、やや中途半端な感想を書いた。

売れるかどうかはわからないが、翻訳依頼が入ってくるなら歓迎したい本。
個人的な印象としては、なかなかいい本。
しかし、私情を捨てて冷静に考えると、売れるとは思えない本。
編集者が進退をかけるほど、おもしろくはない本。

検討資料を送った後、音沙汰がないところを見ると、この出版社は版権取得をオファーしなかったようだ。賢明なご判断です。

ある作家〔倉数茂氏〕は幻冬舎社長の〝実売数さらし〟を批判して、自身のツイッターにこんなことを書いた。

見城氏は作家ばかりでなく、自社の社員もバカにしている。商品としての本は、作家だけじゃない、編集者、デザイナー、営業、みんなで作るものじゃないか。

ごくまれに自著を出す人間として、作家だけじゃないという言葉に励まされた。少し肩の荷が軽くなったというか。

『ヒッキーヒッキーシェイク』は幸いなことに、よく売れたようだ。メディアに連日取り上げられるほどの話題の書だったから。何といっても、奇抜なキャッチコピーによって編集者が有名になった。

編集を担当した塩澤快浩氏のインタビューによると、このコピーに関して会社に根回しをしていたという。本当に売れず編集者を辞めることになったら、他部署に異動させてもらうという形で。高いところから飛び降りるときは、安全マットが欠かせないものですよね。社長には「その帯文で本当に売れるんだったら、君の担当本はすべてその帯にしたらどうか」と言われたそうだ。おっと、社長、それが通用するのは一度きりですよ。

史上最年長の芥川賞受賞者

日本の文学賞のひとつに「芥川賞」がある。在日コリアンの李良枝《イ・ヤンジ》さんや柳美里さんの受賞によって韓国でも有名になった。受賞作が出版されればヒットが約束されているので、一時期は翻訳権取得の競争も激しかった。日本小説ブームと重なったせいもあるだろう。

この賞は年2回、「無名あるいは新人作家」を対象に授与される純文学賞だ。年齢制限はない。２０１３年には、１９３７年生まれの黒田夏子さんが史上最高齢となる75歳での受賞を果たした。受賞作は『ａｂさんご』。このうえなく難解な作品だ。

日本の小説はほとんどがタテ書きだが、この作品はヨコ書きで書かれている。タテ書きのハングルを読むときのまぎらわしさを想像してみてほしい。ちょうどそんな感じだ。固有名詞は使われず、普通名詞は言い換えてあり（たとえば、蚊帳は〝へやの中のへやのようなやわらかい檻〟、傘は〝天からふるものをしのぐどうぐ〟）、彼／彼女といった代名詞もない。

性別表記もない。文章がとめどなく長く、一文が16行に及ぶこともある。漢字もあまり使用されておらず、ほぼひらがなで、読点や改行も少ない。「読者の理解を拒む、広く果てしない文体」という読者レビューの表現が的確だ。私も読みかけて挫折した。翻訳依頼が入ってきても決して引き受けないようにしようと思っていたが、そもそも翻訳される予定はないようだ。

かなり辛口の評価も多いが、体重40キロもなさそうなか細いハルモニ《おばあさん》は、誰になんと言われようと独自の文学観を貫く。まるで、ひと針ずつひらがなで文章を縫っていくかのように、『源氏物語』を書いた紫式部が生まれ変わったかのように、美しい大和言葉にこだわろうとする。それが現代の読者にとっては難解なのだ。

韓国での芥川賞人気も以前ほどではなくなり、私も受賞作が発表されたらどんな作品なのか軽く目を通す程度だが、この作家のことはその後もずっと気になっていた。うちの母とわずか2歳違いだからだ。断じて恥じているわけではないが、私の母は小説というものを知らない。中学生の頃、部屋に李光洙《イ・グァンス》〔1892–1950年。朝鮮近代文学の祖と称される作家、文学者、思想家〕の『愛』があったせいで、いやらしい本を読むんじゃないと母に背中をぶたれたことがある。宿題の読書感想文を書くために読んだのに、とくやしくてたまらなかったが、昔の人で文学になじみがないから仕方がないんだと考えた。だから、母と同年代の方が芥川賞を受賞したときは、とても不思議な気がした。

そういえば、私が訳した『魔女の宅急便』の作者・角野栄子も、中高生のとき大好きだった『悲しみよこんにちは』を書いたフランソワーズ・サガンも母と同じ1935年生まれだ。それを知ってから、日本植民地時代がなければ、母も学校に通って原稿用紙に作文を書いたりしていただろうにと切なくなった。

黒田夏子さんは自由な文学生活のために20代で教職を捨て、校正のアルバイトをしながらひたすら小説を書き続けた。「受賞の喜びを誰に？」という質問に、家族がいないから喜びを分かち合う人がいないと答えていたが、寂しいだろうなというよりも、文学に対する頑固な、あるいは強情な愛を感じた。この世代の人が結婚もせずに小説を書くだけの人生を送るというのは、容易な選択ではなかったはずだから。

今後どんな作品を書く予定かという質問には、「10年に一作のペースで書いてきた。生きている間に次の作品を出すのは難しそうだ。これまでに書いた作品が日の目を見ることになればうれしい」と答えていた。75歳での受賞、世間の注目を浴びている間に新作を出さなければと焦りそうなものだが、せっかく選ばれた新人作家が次回作を書く予定はないとのんびり語る。世間に流されることなく、マイペースに生きる黒田さん。受賞コメントが印象的だった。

「生きているうちに見つけてくださり、ありがとうございます」

本当に、審査委員はよくぞこの小柄なハルモニ《おばあさん》を見つけた。『早稲田文学』に投稿された『abさんご』が早稲田文学新人賞を受賞し、同作が芥川賞候補になった。こうして発見されなかったら、一生を執筆に捧げて生きてきた彼女が小説を書いていたという事実は、誰にも知られないままだったかもしれない。

それから約7年後の2020年、芥川賞受賞後初となる作品『組曲 わすれこうじ』が発表されたが、反応はよくなかった〔しかし、翌2021年に第31回紫式部文学賞を受賞〕。でも、生きている間に新作は書けないだろうとおっしゃっていた方が、7年ぶりに新刊を出した。それだけで十分に素晴らしいことではないだろうか。

ある作家の人生

一人の男が密陽《ミリャン》〔韓国・慶尚南道東部〕で靴屋を営んでいた。走るのが得意で、東京オリンピックのマラソン選手候補に選ばれたこともある。しかし共産主義者とみなされた彼は身の危険を感じ、妻と4人の子どもを残したまま日本へ密航する。

2年が過ぎても男が帰ってこないので、妻もまた子どもたちを連れて日本に密入国した。1カ月探し回ってやっと見つけた夫は、日本人と結婚して息子まで作っていた。衝撃を受けた妻は4人の子どもたちを置いて姿を消してしまう。

男はパチンコ店を開いて、4人の子どものうち、娘をタダ働きさせた。娘は知人の紹介で出会った男と結婚し、女の子を産む。この子が1歳になる前に2人目を授かり、つわりが激しかった母は幼い長女を親戚に預けるが、さまざまな事情から再び引き取ったのは2年後だった。

その後、立て続けに子どもが2人産まれ、4人きょうだいになる。夫はパチンコ屋で働き、妻はキムチを売って家計を支えた。やがて妻はホステスのほうが稼げると知り、本格的に水商売の世界に足を踏み入れる。ギャンブル中毒になった父とホステスとして働く母は、朝方まで帰宅せず、4人の子どもたちは放置されて育った。ついに、母は夜の仕事で出会った男と不倫関係に陥り、夫婦仲は悪化。自分の母親と同じように（理由は違うけれど）4人の子どもたちを捨てて家を出ていった。それも、長女の小学校卒業式前日に。

1歳にもならないうちに親戚の家に預けられた長女は、幼稚園でいじめられ、子どもの頃から苦労の多い日々を過ごした。10代になると自殺未遂を繰り返すようになり、高校1年生で退学。そんななか劇団に入って20歳で劇作家デビューし、28歳のときに『家族シネマ』で在日コリアンとして史上3人目の芥川賞を受賞する。そして、この本はベストセラーとなった。柳美里の作品だ。

日本植民地時代から始まった波瀾万丈な家族史。柳美里という作家が誕生してハッピーエンドかと思いきや、これがそうでもない。波瀾万丈な人生はその後も続く。

本人が自伝的な小説で明かしたことにより韓国と日本の両国で大きく話題になったが、柳美里は妻帯者との間に男児を授かり、シングルマザーとなった。そして、劇団時代の演出家で、23歳差の師匠であり恋人でもあった男〔東由多加〕と同居する。２人は深く愛し合う仲だったが、不幸にも男はがんでこの世を去った。

出す本が次々とベストセラーを記録し、快進撃を続けていた柳美里は、彼の治療費で財産を使い果たし、10年前からは生活が困窮しているとたびたびブログにつづっている。ブログの読者である私は、自分も余裕のない分際でありながら、何か支援を送る方法はないだろうかと真剣に考えたりもした。こんな投稿を読んだときは特に。

「チケットキングに切手売るところまで来たのは、何年ぶりだろうか……（略）
いま、わたし、電車にもバスにも乗れません。
あ、Suicaの残金、三百円くらいはあるから、大船ぐらいまでは行けるか……」

こうした貧困生活について書いた『貧乏の神様 芥川賞作家困窮生活記』という本も発行された。あちこちに敵を作り、借金を作って、自分を縛りつけ、うつ病に苦しめられている。この人の人生はどうなってしまうのかと心配になった。いつも心もとなくて、ハラハラした。

そんななか、柳美里は福島に移住する。放射能汚染で多くの住民が去った町へ。そこからはとても明るく見えた。講演会を開き、地域に奉仕して、いきいきと暮らしているようだった。借金は多いものの、ブックカフェをオープンし、小劇場を企画。柳美里さん、順調そうだな、これからもうまくいくといいなと思った。

ところが、どの国でもコロナというやつが問題だ。日本でもソーシャルディスタンス確保のために営業制限などの規制が行われ、この人はこのまま死んでしまうのではと心配になるほど苦労している様子がブログに投稿された。融資を受けて起業した人々にとっては、その時期が死のトンネルのように感じられただろう。

しかし、窮すれば通ず。しばらくして、ドラマのような出来事が起こる。２０１４年に出した『ＪＲ上野駅公園口』という小説が２０２０年にアメリカで翻訳出版され、権威ある文学賞「全米図書賞」を受賞したのだ。その影響で、本書はベストセラーにのし上がった。子どもの頃から好きだった書店に自分の本がベストセラー1位として並んでいるという文章を読んで、私までジーンときた。

偶然発見した、海の向こうで暮らす作家のブログを10年前から断続的に読んでいる。今の状況は、三振ばかりだった落ち目のプロ野球選手が9回裏2アウトで場外ホームランを飛ばす、奇跡の大逆転劇を目にしたかのようだ。

人生は本当にどこで何が起こるかわからない。最後の最後まであきらめてはいけないのだ。作家、柳美里さんの復活を心よりお祝い申し上げます。これからはどうか、花道だけを歩けますように。

高校生の読者がくれたEメール

翻訳家になりたいとメールをくれる読者には、意外にも高校生が多い。まだ夢を持つことができる年齢だからだろうか。それとも、まだ宿題があるからだろうか。かわいらしい彼らのメールには、いろいろなパターンがある。

翻訳家になりたいというメール

私の夢は、日本語の翻訳家になることです。以前読んだ『翻訳に生きて死んで』という本を思い出して、こうしてメールを書いています。お時間があれば、質問に答えていただけますか？

質問1 翻訳家の仕事をしていて、いちばんうれしくて、やりがいを感じるのはどんなときですか？

質問2 翻訳家になるには、外国語能力がどれぐらい必要ですか？

質問3　翻訳家になるために特別に準備すべきことはありますか？

質問4　翻訳家を夢見る人に伝えたい言葉はありますか？

『翻訳に生きて死んで』が進路に確信を持たせてくれました。貴重な情報をたくさん知ることができて、とても役に立ちました。本当にありがとうございます!!

高校生、大学生、就職活動中の学生や記者など、いろいろな人から決まって聞かれる質問だ。きっとどんな職業でも似たような質問をされるのだろう。回答をコピペできるように保存しておこうと思いつつ、何度も同じことを書いている。

いちばんうれしいのは、いい作品のオファーが入ってきたとき。やりがいを感じるのは、母が翻訳家であることを娘が誇らしく思ってくれるとき。翻訳家になるには原書をサッと一冊読み切ることができるぐらいの外国語能力が必要だ。翻訳家になるために大切なのは、たくさん読んで、たくさん書くこと。翻訳家を夢見る人たちに伝えたいのは、大きなお金を稼ぐのは難しいけれど、経験が本となって積み重なっていく、素敵な仕事だということです。

感謝のメール

翻訳家を目指す学生です。感謝の気持ちをお伝えしたいとずっと思っていたので、メールアドレスがわかってうれしいです。中学生のとき、クォン・ナミ先生が翻訳した『舟を編む』を読みました。作品自体もおもしろかったですが、訳者あとがきの「おもしろい文章を見ると、翻訳したくなる。それが私たちの職業病だ」という部分に深く感銘を受けました。

それまでは進路に悩んでいましたが、翻訳家になろうと決めました。あの本を読んで、本当に多くのことが変わった気がします。自分の適性に合った将来の夢が見つかったので、うんざりしていた勉強まで楽しく感じられるようになったのです。

翻訳家という職業は消えていくかもしれない、翻訳業界は本当に難しいところだ、こういう話をたくさん耳にします。文学部に行かないほうがいいと言われることも多いですが、それでも私は翻訳家を目指そうと思います。翻訳家という職業を私に教えてくださったクォン・ナミ先生に感謝を申し上げます。

翻訳の未来を心配するメール

私は翻訳家になるのが夢です。先生の『翻訳に生きて死んで』を読んで、胸がドキドキしました。それまで、通訳や翻訳は外国で長く暮らした人だけができる仕事だと思っていたんです。翻訳とは具体的にどんな仕事なのかがわかって、そのときから翻訳家は私の目標になりました。初めて毎日が意味のあるものに感じられました。

でも、人工知能を研究する専門家の中には、10年以内に完璧な自動通訳・翻訳の技術が導入されると主張する人々がいるそうです。「今、人間にとって必要な技術はたくさんあるのに、なぜよりによって翻訳技術の開発に力を入れるの？」「どうして私はこの時代に生まれてしまったんだろう？」――最初はこんな幼稚なことを考えてしまうほど困惑して、腹が立ちましたが、落ち着いて調べてみたら、たとえ翻訳技術が向上したとしても、文学のように人間の想像力が必要な分野までカバーするのはすぐには無理だそうです。でも本当に10～20年以内に人間の言語を人工知能がすべて理解できるようになって、翻訳家という仕事がこの世から消えてしまったら……先生はこれについて、どうお考えですか？

おやおや、まぁまぁ……。そんな声が自然に出てきてしまう。青少年は遠くから見ていると不安になるが、近くで見るとやはり愛らしい。その年齢で夢を持っているのもとても美しくて立派だ。20代以上の人から翻訳家になりたいというメールが届いたら、もっと別の仕事を探してみてはどうかと伝える。でも、中高生からこんなメールをもらったときは、本をたくさん読んで、たくさん書いて、大学卒業後も夢が変わっていなければ連絡してほしいと返信する。すごい力を持っているわけではないから、たいしたことはできないけれど、できることがあれば助ける、と。

大学を卒業して、就職できないから翻訳でもしてみようかと考える人々とは違って、幼い頃から翻訳家を夢見てきた人なら、本当に素晴らしい翻訳家になれるのではないかという気がする。彼らが翻訳家になる頃には、翻訳料金がもっと上がって、余裕のある暮らしができる世の中になっていればいいのだけれど。

人工知能が登場しても、文学を翻訳することはできないと思う。でも、30年前の私は原稿用紙に翻訳文を書き、郵便局に行って小包で原稿を送っていた。自宅にいながらにしてEメールで瞬時に原稿を送れる日が来るなんて、想像すらしていなかった。だから、絶対にそんな日が来ないとは言い切れないし、もっと新しい技術が出てくるかもしれない。ただ、ある日突然現れるのではなく、徐々に発展していくだろうから、それに合わせて対処法を探っていくことになるのではないだろうか。

メールをくれた高校生には、「私たちが生きている間に、人工知能が文学を翻訳する日は来ないと思います」と返信した。そうは言っても、10代と50代。〝私たち〟とひとくくりにはできない年齢だが……。

小川糸さんに会った日

謙虚に答えなきゃ

国際交流基金ソウル日本文化センター主催で開かれた小川糸さんの訪韓対談イベントの後、日本大使館公邸での晩餐会で起こった出来事。

駐韓日本大使　韓国で小川糸さんの作品がこれほど愛されるようになったのは、やはり翻訳の力が大きかったからでしょうね。（私を見る）

小川糸　そうですよね。対談のときに質問を聞きながら、本当に的確な翻訳をしてくださったんだなと思いました。翻訳家の方は、作品の第二の母だと思います。（私を見る）

二人から同時に視線を向けられた私は、はにかみながら頷いて「翻訳の力でもありますね」と独り言を言った。緊張したせいで、本音（?）が出てしまった。お二人の後ろに座っていた通訳者がこれを訳したかどうかはわからない。帰宅後、ふとんの中でのたうちまわりながら、晩餐会のテーブルは広かったから聞こえなかったはずだとよくよく考えた。

ふだんから「年齢より若く見えますよ」と言われれば「ですよね」と答える、厚かましい口調の私。これからは誰かにお世辞を言われたら「ありがとうございます」、または「いえいえ、とんでもありません」と謙虚に答えようと固く決心した。若いときに知っておくべきことに気づくのが遅すぎたが、これ以上年をとると手遅れになりそうだから、今からでも直さなきゃ。でも、もともとあまり人に会うほうではなかったのに、コロナの影響でさらに人に会う機会が減って、残念ながら謙遜する機会がない。

はんこのプレゼント

小川糸さんが訪韓すると聞いたときから、何をプレゼントしようか悩んだ。ドイツで暮らしている彼女が気軽に持ち帰ることのできるもの。重すぎず、韓国的で、実用的なもの。何があるかなと探して、選んだのが手作りはんこだった。日本はまだはんこ文化だから、使ってもらえそうだ。ネットで注文をすると、はんこ屋の店主から携帯メールで書体サンプルが届いた。ところが、小川糸という名前は意外としっくりくる書体が見つからない。小川糸さんもそんなことを言っていた。簡単に書けるペンネームを選んだのに、むしろ書くのが難しい、と。

配送トラブルがあって、紆余曲折の末に赤い印鑑ケースが届いた。ケースには美しい手書きのメモが入っていた。私宛てではなく、小川糸さんへのメッセージだ。日本語とハングルが並んで書かれている。

心を込めて作ったはんこです。このはんこがあなたに幸せをもたらすことをお祈りします。あなたの『かたつむり食堂』のように。先生のはんこを作ることができて光栄です。

驚いた。私は漢字で名前を伝えただけなのに、はんこを作った方が小川糸さんを知っていた。『かたつむり食堂』も読んだみたいだ。

ドイツに戻った小川糸さんから、実際にはんこを使ってみたという連絡があった。はんこも素敵だし、職人さんからのお手紙も本当にうれしいと言っていた。思いがけない場所から生まれたぬくもり、まさに小川糸さんの小説に出てくるエピソードのようだ。

対談会場で出会ったファン

その日は穏やかであたたかい一日だったが、家を出る時間が過ぎてもはんこが届かず、冷や汗をかいた。バイク便で何とか受け取って、あたふたしながらタクシーに乗ったが、今度は大渋滞に巻き込まれた。対談の前に編集者と会って、小川糸さんのエッセイ集『洋食 小川』の翻訳契約をすることになっていたのに。時間ギリギリに編集者が待つカフェに到着し、契約書にパパッとサインをして一緒に対談会場へ向かった。あらかじめ担当者に同行者の人数を伝えておいたので、到着するやいなや指定の席へと案内してくれた。私たち一行は4人だった。

席につくと、はんこの誤発送のときからずっとドキドキしていた心臓がようやく静まって、安堵のため息が漏れた。そのとき進行役から、登壇者の1人がまだ到着していないので、対談の開始が遅れると知らされた。どうやらデモの影響で渋滞が発生しているらしい。やった。どうぞゆっくりいらしてくださいと心から祈り、まだきちんと挨拶もできていなかった編集者たちとおしゃべりをした。

そのときだった。私の左側に座っていた女性から、遠慮がちに話しかけられた。

「もしかして……クォン・ナミ先生ですか?」

「はい」

するとこの方、いきなり大粒の涙をポロポロ流して「私、先生のファンです」と泣き出すではないか。驚いた。こんなことは有名芸能人にしか起こらないと思っていたのに、私にファンがいるなんて。たまに「ファンです」というメールをもらっても、脳内で「読者です」に自動変換される。突然の涙を見て、思わずもらい泣きしてしまった。編集者から渡されたティッシュをファンに渡し、私も涙を拭いた。初対面の翻訳家とファンが一緒に涙を流す様子は、地球上でもう二度と見られない珍風景だったのではないだろうか。隣で戸惑い、まごまごする編集者たち。

「昔からファンでした」と言ってくれたこの方は、大学院で日本語を専攻したという清楚な30代女性だった。涙の即席ファンミーティング(?)は、登壇者の到着によって終わった。

一日中、水も飲めなかったのでとても空腹で、「あぁ、おなかすいた」とひとりごとをつぶやいたら、その方がそっとおやつを渡してくれた。私は名刺を手渡し、その後もときどきメールをやりとりした。彼女は30冊を超える私の翻訳書の写真を送ってくれた。17～18年前の本もあった。『面倒だけど、幸せになってみようか』が出版されたときは、10冊買って知人にプレゼントしたと言い、記念写真を送ってくれた。インターネット書店のアラジンに心のこもったレビューまで投稿してくれた。一冊買って読みたくなるような、感動的なレビューを。

編集者との会話を聞いて、私がクォン・ナミであることに気づいたという。あの日デモがなかったら、それで渋滞が発生しなかったら、そして定刻に対談が始まっていたら、お互い気づかないまま別れていたのではないだろうか。袖振り合うも多生の縁と言うが、こんなふうにファンと並んで座るというのはどれだけの縁なのだろう。

小川糸さんをはじめ、多くの方々とお会いできた日だったが、この方と出会えたことに最も感激した。帰宅早々、娘に言った言葉も「お母さんにファンがいたよ！」だった。

小川糸さんとのメール

ショートカットにロングワンピースを着た小川糸さんは、雰囲気も話し方も落ち着いていた。発音もアナウンサーのように正確で、大勢の人々の前でもまったく緊張を見せずにどんな質問にもすらすらと答えた。ブックトークにぴったりの作家だ。

日本人女性は声が高い人が多いが、小川さんは深夜ラジオ向きの低めでやわらかいトーンで話す。デビュー作の『かたつむり食堂』からずっと翻訳を担当してきて、文章がすっかり手になじんでいたので、私と似たタイプかもしれないと思っていたが、違った。あらゆる面において、私のような軽率さはない。彼女は重みがあってクールで、ぬくもりの中に鋭さを持つ人だった。初めて接するタイプだったが、よく知っているように思えたのは、彼女の作品に登場する主人公のほとんどがそんなキャラクターだからかもしれない。

食事会で隣り合わせになった小川糸さんに「翻訳中に質問事項が出てきたらメールでお聞きしたいのですが、アドレスを教えていただけませんか?」と手帳を差し出すと、さらさらっと書いてくれた。珍しいことに、小川糸さんは名刺を持っていない。携帯電話もない。そして、同行した新潮社の編集者によると、「先生」ではなく、「小川さん」

と呼ばれるのを好むという。話はそれるが、この編集者はEXO〔韓国の男性アイドルグループ〕オタクだった。私がGUCKKASTEN《グッカステン》〔韓国のロックバンド〕グッズのブレスレットを見せたら、編集者はEXOグッズのスマホグリップを見せてくれた。夕食の会場で思いがけず、お互いのオタク活動について語り合うことになった。

メールアドレスを知ったからといって、『ツバキ文具店』のように文通が始まることはなかった。ハングルならすらすら書けるけれど、日本語となると一苦労。小川糸さんの新しい作品を翻訳すると決まったときや、質問があるときなど、仕事に関するメールを書いた折に、愛犬ナムの話やちょっとした雑談を送るぐらいだ。

『ライオンのおやつ』の翻訳を担当することになったというメールを送ったとき、ナムが虹の橋を渡ったことを知らせたところ、とても長いお返事が届いた。彼女もビションフリーゼを我が子同然に育てていて、初めて会ったときからお互いのペットについて語り合った。ナムを失った悲しみに寄り添って、心のこもったお悔やみのメッセージを送ってくれた。

小川糸さんのホームページにも「わたしの作品の大半を韓国語に訳してくださっているナミさんからも、つい先日、愛犬のナムちゃんが天国へ旅立ったという内容のメールがきた」という文章がある。ナム、よかったね。有名な小説家さんに追悼されて、ホームページにも名前を載せてもらえるなんて。

こんなふうに書くと小川糸さんととても親しい仲みたいだけれど、そうではない。ダイレクトに連絡ができるというだけなのです。

第3章

著者になってみると

GUCKKASTEN ハ・ヒョヌさんの推薦文が欲しくて

エッセイ集『面倒だけど、幸せになってみようか』を出版するとき、ぜひとも推薦文をお願いしたいと心に決めている人がいた。「それはズバリッッッ……！」と、『覆面歌王』〔覆面をかぶったスターが歌唱力を競い合う音楽バラエティ番組。MCのキム・ソンジュが覆面挑戦者の正体を明かす際の「ズバリ」という言葉が流行語に〕のMCキム・ソンジュ氏のようにご紹介したくなるその人は、わが町の音楽隊長ことGUCKKASTENのハ・ヒョヌさん〔GUCKKASTENのボーカル。2016年に『覆面歌王』で番組史上初の9週連続勝利を果たし、一躍時の人となる。「音楽隊長」は出演時のニックネーム。ドラマ『梨泰院クラス』の挿入歌「石ころ」でもおなじみ〕。まだ執筆を始めてもいないうちから、本を書き上げたらハ・ヒョヌさんに推薦文を依頼しようと無謀な夢を抱いていた。

あちこちに言いふらして回っているので、身近な人はほとんど知っているが、私はGUCKKASTENオタクだ。『面倒だけど、幸せになってみようか』にもオタ活記録を収録した。GUCKKASTENの歌詞はすべてハ・ヒョヌさんが書いていて、一般的な曲と比べて格調が高い。その絶妙な雰囲気と独特の表現力が、楽曲をいっそう幻想的かつ文学的にしている。そんな彼の素敵なコメントがさりげなく載っていたら、さぞかし本が輝くだろうなと思った。

しかし、ハ・ヒョヌさんにどうやって連絡を取ればいいかわからない。ついつい先延ばしにしてしまい、原稿がほぼ完成する頃にようやく所属事務所のホームページをのぞいた（出版社経由で依頼するとのことだったが、自分でやると言い張った）。

電話をかけるのが苦手なので、出演依頼のアドレスにメールを送った。わくわくしながら書いてはまた書き直し、丸2日かけて文章を整えて、推薦文をいただけないかと丁寧にお願いした。ラブレターでもこんなに心を込めて書いたことはない。一縷の望みをかけたチャレンジだったので、潔くあきらめられるようにお返事だけでももらえたらという気持ちだった。翌日、所属事務所から予想より早く返事が来た。内容は、

DELIVERY FAILURE: Delivery time expired.

入力ミスがあったのかなと思い、メールアドレスを慎重に打ち直して再送した。次の日の返信も、内容は同じだった。……ダメだ。時間もないことだし、奥の手を使おう。プレッシャーをかけることになりそうでこの手は使うまいと思っていたけれど、ハ・ヒ

ヨヌさん、他に連絡を取るすべがないのです。

ハ・ヒョヌさんは文芸評論家シン・ヒョンチョルさんの作品が好きだ。彼の評論集『没落のエティカ』を読んで作った「羽」という曲もある。シン・ヒョンチョルさんに連絡を取るのは簡単だ。知り合いの出版関係者につないでもらえばいい。というわけで、ある編集者にお願いした。ハ・ヒョヌさんのファンなのだが、エッセイ集に推薦文をいただきたい旨をシン・ヒョンチョルさんにお伝えして、ハ・ヒョヌさんのメールアドレスを教えていただけないか聞いてほしい、と。

数時間後、編集者から携帯メールが届いた。ハ・ヒョヌさんが私の電話番号とメールアドレスを教えてほしいと言うので、送ったという。きゃー！　この世に生まれて、自分の心臓の音をステレオサウンドで聞いたのは初めてだ。ドキドキドキドキ。電話がかかってきたら心臓マヒで死ぬ恐れがあるから、メールでお返事がもらえたらいいな、と思いながらわくわくしていたが、残念ながら連絡は来なかった。

1日、2日、3日、4日……。階段を4〜5段飛ばしで駆け降りるように時が流れ、印刷日が迫ってきたが、何の音沙汰もない。0・00001%の可能性を期待したけれど、とうとう連絡はなく、印刷作業に入った。あぁ、断られてもオタクでいようと思っていたが、ファンとしての気持ちが冷めなかったと言えばウソになる。せめて断りのメールぐらいくれればよかったのに。連絡先を聞いて、期待させるだけなんて。

そう思っていたら、よりによって印刷の翌日！　所属事務所の方からメールが来た。それを読んで気づいた。ハ・ヒョヌさんは、ずっと迷い続けていたから返事が遅かったんだな……。しかも、本がこんなに早く出るとは思わなかったのだろう。出版業界の人であれば、推薦文はたいてい発売間近に依頼するものだと知っているけれど。

印刷は終わっていたので、いずれにしても間に合わなかったが、返事はNOだった。理由は二つ。一つは、自分の推薦文が本に不利益を及ぼすのではないかと心配で。二つ目は、これまでも推薦文を引き受けたことがないから、公平性を期すために。

それでも仲立ちをしたのが敬愛する文芸評論家で、依頼人が自分のファンだということで長く悩むことになったのだ。じっくり考えてはみたけれど、やはり引き受けられないという。「〝これからもお元気で、幸せな日々をお過ごしください〟と申しておりました」とあった。コンサートのときにいつも聞いている締めくくりの挨拶だから、彼の声で自動再生された。簡単に決めてもいいことをじっくり考える、やたら真剣なハ・ヒョヌさんの姿が思い浮かぶ。彼なら十分にあり得ることだ。

骨の髄まで単純な人間なので、一度は冷めかけたファン心がメール1本でよみがえった。心から納得した。推薦文は、書かなければならない義務があるものではない。書いてくれたらとてもありがたいけれど、断られたときは依頼したことが申し訳なくなる。

私も先日、後輩から推薦文を依頼されたのに引き受けられず、気が気でなかった。後輩を悲しませてしまうかもしれないと思い、一行のコメントすら書く時間がない過密スケジュールをくわしく説明して、丁重にお断りした。お願いするのも大変だが、断るのはもっと大変だということを知った。

こんなふうに一つひとつ知りながら、人は成長していくのでしょう。GUCKKASTENの3rdアルバム発売を待ちわびながら。

ペ・チョルスの音楽キャンプ

ラジオを聴くことがめったにない。5年前にGUCKKASTENが出演したときの『ペ・チョルスの音楽キャンプ』〔MBC FM4U月曜～日曜の18～20時放送〕（以下ペキャン）がいちばん最近、自発的に聞いたラジオ番組だ。その前は確か、大学時代に聴いた『イ・ムンセの星が光る夜に』が最後だったと思う。ラジオを聴きながら仕事や読書をするというマルチタスクができないのだ。ラジオだけを聴く時間が取れたらいいのだけれど、そんな余裕のある日はほとんどない。

ところが、久しぶりにまたペキャンを聴くことになった。番組内で私のエッセイの内容が流れたからだ。

2020年の3月、ある出版社の編集長からの不在着信が携帯電話に残っていた。『面倒だけど、幸せになってみようか』がとてもおもしろかった」というメールをもらってから1時間後ぐらいのことだ。どうして電話までかかってきたのかなと思っていたら、夜にもう一度メールが届いた。

私にエッセイの感想をメールした後、退勤中にペキャンを聴いていたら、本に掲載されていた「村上さんのところ」のエピソード〔期間限定サイト「村上さんのところ」に著者が送った質問メールが採用され、村上春樹氏が回答した〕がたまたま紹介されていたので、驚きとうれしさのあまり思わず電話をしたと書かれていた。著者名や書籍のタイトルは流れなかったが、明らかに私のエッセイのエピソードだったという。

なんと光栄なことだろう、と思って、聴き逃し配信がアップされるやいなや聴いてみた。喜びは一瞬で消え去り、腹が立った。ものすごく。

紹介されているのは私のエピソードだが、主語はクォン・ナミではなく〝韓国で暮らす、あるおばさん〟だった。すらすらと本が読み上げられていったが、主語はずっと〝おばさん〟だ。そりゃあ私はおじさんじゃないし、おばさんなのは確かだけど、おばさんである以前にその文章を書いた著者である。ネット上に漂う作者不詳の文章でもなく、まだ発行されてまもない新刊本に載っている内容だ。せめて〝ある翻訳家〟だったら、それでも残念ではあるけれど、ペキャンで自分の文章が流れたことを喜べただろう。「〝おばさん〟が〜」「〝おばさん〟が……」。まるで韓国のおばさんが厚かましく村上春樹に悩みを相談したかのような雰囲気だ。まさかと思って聴いていると、私が村上春樹に送った質問もそのまま読み上げられた。幸い、回答までは読まれなかった。リスナー掲示板には「それで、春樹から返信はあったんですか?」「おばさんが春樹からどんな回答をもらったのか気になります!」といった書き込みがアップされていた。

出版社が代理でクレームの電話を入れたところ、「数日後にこの本を紹介することになっているが、一週間に同じ本を2回放送してはいけないことになっているため、タイトルを明かせなかった」と丁重に謝罪されたという。

単純なおばさんは〝おばさん〟呼ばわりされた腹立たしさを瞬時に忘れ、ペ・チョルス様が再びエッセイを朗読してくれることを知って喜んだ。そして実際に数日後、番組内で本が紹介された。大邱《テグ》〔韓国東南部に位置する人口約250万人の第三の都市〕に暮らす姉は毎日この番組を愛聴しているので、リアルタイムで聴いたという。

そして一週間が過ぎた頃だっただろうか。今度は読者が「夫が退勤中にペキャンを聴いていたら、先生のエッセイが出てきてうれしかったそうです」と知らせてくれた。それで、再び聴くことになった。

人気の長寿番組だけあって、必ずどこかにリスナーがいて、放送を聴いたよと教えてくれるのが不思議だった。そのおかげで、ふだんラジオを聴かない私も情報を得ることができた。ペ・チョルス様、ありがとうございました。

あっ、その後しばらくしてから、仏教放送の『音楽が流れる風景』でも一週間にわたって一日1篇ずつエッセイを朗読してくれた。お釈迦様にも感謝申し上げます。

お母さん、私すごいでしょ？

『面倒だけど、幸せになってみようか』が発行されたとき、本と私のインタビューが載った新聞と、書籍の購入でもらえるノベルティの手鏡を母に見せに行った。10年前に『翻訳に生きて死んで』を出したときは無表情だった母が、今回は盛大なリアクションをしてくれた。理由は娘が本を出したからではなく、写りのいい写真が新聞に掲載されたから。タレントのようだと喜んでくれた。プロのメイクと補正のおかげで芸能人の写真のような仕上がりだったので、母が喜ぶのももっともだ。娘なのに娘ではない、娘の写真。

「んまあ〜、55歳には見えへんわぁ」

レタッチやPhotoshopのことを説明して理解してもらうのは大変なので、「でしょ〜」と言ってしまった。母がガラケーを差し出して、「ふたを開けたら、この写真が出てくるようにしてちょうだい。みんな、子どもとか孫の写真にしてるから」と言うので、私の写真を壁紙に設定した。おぉ、ガラケーがiPhoneみたいになったよ。

「新聞に記事を載せるには、なんぼかかんの?」

「無料だよ」

「ええっ、誰が載せてくれたん⁉　あんたは母さん思いやし、ずいぶんまじめに生きてきたから、福を授かったんやなぁ」

「そうなのよ」

人間はポジティブでなければならない。


二番目に母が喜んだのは、本ではなく、ノベルティの手鏡だった。すごくかわいいと気に入っていた。お友達にもあげられるように10個持って行ったが、敬老堂〔政府による高齢者向けのカルチャースクール〕のみんなにあげたいから、もう20個ほしいという。だから、持ってくると約束した。写真が掲載された新聞もあげた。ニンニクの皮をむくときに敷いて使うのではないかと心配だったが、大切に保管してお客さんが来るたびに自慢しているらしい。

最後にやっと、本にも興味を示してくれた。「これ、私が読んでもええの?」と言われてドキッとしたが、本を開いて「字が小さくて、いっこも見えへん」と言った。「そうだよね。若い人が読む本だから」と本をサッと取り返してカバンに入れた。親に読まれるのは気恥ずかしい。

「お母さん、私すごいでしょ？」

「なんて？」

「私、すごいでしょ？」

「補聴器を町役場でもろたんやけどねぇ。タダやったから安物なんか、よぉ聞こえへんのよ」

……だそうです。

本を書きなさい、ナミさん

20年ほど前、久しぶりに会った出版業界の先輩にこんな提案をされた。

「ナミさん、本を書くべきですよ。本を書けば、印税を娘さんに遺産として残すこともできるでしょう?」

その先輩は「日記を書きましょう」と宿題を出す小学校の先生みたいに、本を書けという言葉を簡単に言った。まるで現実味のないアドバイスだと思った。確かに、本を書くというのは私にとって子どもの頃からの夢だったけれど、まだそんな器ではない。私が書きたいからといって書かせてもらえるものでもないし、書いたとしても一介の翻訳家の本なんて、どこの出版社が出してくれるだろう。もし心優しい出版社が出してくれたとしても、その本を買う人なんているだろうか。印税だって、本が売れなければ発生しない。遺産どころか1カ月の生活費を稼ぐのも難しいだろう。今、仕事に困っているんだから、そんな空虚なアドバイスじゃなくて、翻訳者を探している出版社でも紹介してくれたらいいのに、と思いながら帰宅した。

数年後、先輩に再会した。私は一人前の翻訳家になり、先輩は著書を数冊出して作家になっていた。また言われた。

「ナミさん、本を書きなさい。本を書けばお金になる。私も書いてみたけど、なかなか悪くないよ」

つき合いのある出版社が多くなり、私の名前を知る読者も増えて、本に書けそうなネタも集まった。今ならそこまで無謀な挑戦ではない。でも最も現実的な問題として、本を執筆する間に翻訳の仕事をせずにいたら、無収入になってしまう。娘はいちばんお金がかかる年頃だというのに。エヘヘと笑ってごまかして帰宅すると、先輩からこんなコンセプトの本を書いてみろというメールが届いた。

クォン・ナミの辞書に不幸という言葉はない。

このささやかな幸せを、すべてを手にしてもなお満たされずにいる現代の多くの女性たちと分かち合いたいです。

当時は「私が幸せだなんて、とんでもない」と受け流したが、この先輩は企画界の李箱《イ・サン》〔1910－1937年。前衛性の高さで知られる朝鮮の詩人、小説家〕だったのか？　2020年に出版したエッセイ集が、これと似たようなコンセプトで好評を博したから。

先輩とは数年に一度連絡を取り合っていたが、よりによって私が最初の本を出した数日後にもらったメールが最後のやりとりになった。口ぐせのように「ナミさん、本を書きなさい。小説を書きなさい」と言っていた先輩から、「どの新聞もナミさんの本の話題でもちきりですね」とメールが届いた。実際、10年前に『翻訳に生きて死んで』が発売されたとき、大小あらゆる新聞にこの本の記事が載った。

ところがお祝いの言葉に続いて、このメールに書かれていた内容がちょっと衝撃的だった。iPad に入れて読めるように最終版のデータを送ってほしいという。私から出版社にデータをくれとはとても言えず、当時ももらっていないし、今も持っていない。そういう大切なものをどうしてこんなに堂々と送ってくれと言えるのだろう。自分も本を書く仕事をしているなら、そのデータがどれだけ重要なものか知っているはずなのに。何と答えていいかわからず、先延ばしにしてしまい、10年が過ぎた今も返事ができていない。人間関係というものはジェンガのごとく、積み上げるのは大変だが、崩れるのはあっという間だ。

とにかく〝ナミさんが本を書いてから〟、本を書く翻訳家が増えた。『翻訳に生きて死んで』の出版前はそうそうたる重鎮が執筆した正統な翻訳理論の本が主流で、翻訳家の身辺雑記のようなエッセイ集は少なかったが、私がその先駆けになったのではないだろうか（という確かな証拠はないけれど、自分の手柄にしてみる）。

作家の陰で生きていた翻訳家が作家となり、世に出てくるのは珍しいことではなくなった。バックダンサーだったキム・ジョンミンが表舞台に出てきてKoyote《コヨーテ》〔1998年にデビューした韓国の3人組男女混成グループ〕のメンバーとなり、タレントになったように。ただ、キム・ジョンミンがバックダンサーに戻ることはもうないだろうが、私たちは変わらず翻訳という仕事を愛し、辞書や原書とにらめっこをしながら孤軍奮闘している。この先もきっとそうに違いない。

NOと言うこと

『翻訳に生きて死んで』の出版が目前に迫ったある日、編集者に言われた。

「×××先生に推薦文をいただくのはどうでしょうか?」

いいですね! 親しい間柄なので、すぐさま推薦コメントをお願いした。NOという返事が返ってくる可能性はまったく考えていなかった。逆の立場なら、私は明日が翻訳の締切日だったとしてもA4用紙1~2枚分ぐらいサササッと書けるし、それが当然と言える関係だったからだ。原稿用紙1枚ぐらいなら、朝飯前に違いない。いつも私のブログを読んでくれているから、あえて原稿を読まなくても私の文章のタッチは知っているはず。短いコメントなら簡単に書いてもらえるだろうと思った。

ところが、意外なことにあっさり断られた。頼みごとができない性格だから、誰かにお願いというものをした経験があまりなく、断られたことはもっとなかったから、すごくうろたえた。

その後、ナム・ギョンテ先生〔社会学者〕に推薦文を依頼した。よく知っている方だったが、断られたときのことを考えるとお互い気まずいだろうから、今度は編集者に任せた。やっぱり、仕事に関することはオフィシャルにお願いしたほうがいいらしい。先生は快諾してくれて、素敵な推薦文を書いてくださった。

後日、プライベートな集まりで先生にお会いしたとき、素晴らしい推薦文をありがとうございましたとご挨拶したところ、こうおっしゃった。

「私は結婚式の司会と推薦文は引き受けないことにしているんです。編集者からのメールの件名を見て、断ろうと思って開いたら、知り合いの本だったから断れなくて。最初のほうだけちょろっと読んで適当に書けばいいやと思ったけど、読み始めたらおもしろかったから最後まで読みましたよ。ハハハハ」

あぁ、推薦文を断られたとき、寂しい気持ちになった理由はこれだったんだな。知り合いなのに断られたから。若い人には古いと言われそうだが、私たちは知り合いの頼みごとを断ることに慣れていない世代だ。親しい間柄でも、きっぱり断った10年前のあの人が正しかったと気づいたのは、ずいぶん月日が流れてからのことだった。

いくら知り合いでも、できないことはできない。情や親しさにほだされて、やりたくない仕事をするべきではない。私も今ではこんな思考に慣れて、それが正しいことだと思えるようになったが、実践するのはまだ難しい。NOと言うのに慣れていないし、NOという言葉を聞くのにも慣れていない。でも、昔よりは上手になった。

追記。ナム・ギョンテ先生はユーモアあふれる雄弁家で、何人で集まっても輪の中心になる方だった。美術、音楽、世界史、政治、宗教、囲碁。ジャンルを問わない、歩く辞書のような方。「〜だった」と過去形を使う現実が今でも信じられないが、先生は推薦文を書いてくださった4年後に持病で他界した。今年、自分が先生の亡くなった年齢になったので、いっそうやるせない。天国でも、天使たちを集めて楽しいお話をしていらっしゃるような気がします。先生、お元気ですか……。

読者から届いた健康アドバイス

『翻訳に生きて死んで』が出版されたとき、思いがけないところからたくさんのメールが届いた。インタビューのオファーはもちろん、卒業以来、交流が途絶えていた中学・高校時代の同級生から連絡が来るようになり、通訳翻訳大学院や大学からの講演依頼もあった。依頼していただけたことは一族の光栄だったが、丁重にお断りした。分不相応に出しゃばったら、一族の恥になりかねない。

こんなふうにあちこちから届いた連絡の中に、一風変わったメールがあった。彼は法医学者だと名乗った。半信半疑でお名前を検索してみると、本物だ。「本がおもしろかったので」と書いてあったが、エッセイの中の私が不健康な生活を送っているのを黙って見ていられなくてメールを送ってくださったらしい。内容は最初から最後まで、健康に関するアドバイスだった。一部をご紹介しよう。

―― 健康関連の日本書籍が書店にあふれかえっていますが、最近は体温に関する本 ――

が主流となっています。そう、小さい頃にお母さんやおばあちゃんから口ぐせのように言われてきた言葉です。「あったかくしなさい……」。つまり、耳新しい話ではないわけです。

現代人の体にさまざまな不調が起こるのは、体温が低いことが主な原因です。運動にはいくつもの効果がありますが、とりわけ重要な作用は、筋肉の収縮によって熱が生産され、結果的に体温が上がるので、体にいいということです。日常生活に取り入れやすい習慣としては、以下のようなものがあります。夏なので、特に冷たい飲み物を摂りすぎないように注意してください。

1 体温を上げる食品を積極的に摂取する（例：ショウガ）。
2 寝るときはもちろん、ふだんから厚着をする。
3 食べ物と飲み物はあたたかいものを摂取する。
4 水分を摂りすぎないようにする（水分量が増えると体温が下がるため）。

こんな親切なアドバイスとともに、健康のためにマラソンをするよう薦められた。運動が大嫌いな私にとって、それは無理な相談だ。悪いクセだが、健康と運動に関するアドバイスは聞き流してしまう。理屈がわからない大人はいない。わかっていてやらない人に何度言っても、行動は変わらない。

このメールをもらってから、長い年月が流れた。今も運動量はたいして増えていない。他の人々と比べたら引きこもりレベルだが、それでも以前よりはたくさん出かけている。唯一きちんと守っているのは、冷たい飲み物を飲まないということ。冬も冷たい水ばかり飲んでいたが、長年の生活習慣が改善された。熱心に運動をして、体にいいものだけを食べ、早寝早起きができれば素晴らしいとは思うが、こうしなきゃという強迫観念を持たないことも健康に役立つはずだ、と都合よく解釈している。

美貌や財産の代わりに、丈夫な遺伝子を両親から受け継いだおかげで、いまだに風邪より重い病気にかかることもなく、元気に生きている。でも、両親は生涯まめまめしくアクティブだった。いつもデスクの前にいる私とは次元が違う。これまで元気でいられたのは、偶然の幸運だったのかもしれない。そろそろ運動すべきだと痛感している。椅子から立ち上がろうとするたびに、よっこらしょ……とひとりでに声が漏れる。

謎はいつか解けるもの

2008年、中学生になった娘の静河がある日、「私も日本文学の翻訳家になりたい」と言った。これは、通算35番目ぐらいの将来の夢になるだろうか。国語の時間に将来の夢を発表することになったので考えてみたところ、お母さんみたいに遊んでいるように翻訳をしながら暮らすのがよさそうだと思った、とのことだった。朝早く起きなくてもいいし、混雑した地下鉄に乗って通勤する必要もなく、暑い日も寒い日も家の中で快適に働けて……自分もそんな仕事がしたいと言った。どのみち夢はまた変わるとわかっているから、私は「いい考えだね。将来はお母さんの仕事を手伝ってちょうだい」と適当に返事をした。

ところが、国語の授業中にこの夢を発表したら、先生の反応がとても否定的だったという。先生の同級生の男性に韓国でも指折りの日本文学翻訳家がいて、とても有名で稼ぎも多いから、庭付き一戸建てを建てて暮らしている。でも翻訳家という職業は簡単に仕事が入ってくるわけではないし、一人前になるのも大変だ。そう言って、とにかく〝同級生にいるからよく知っているが、決して楽な仕事ではない〟と止められたそうだ。

稼げない翻訳の仕事で、そんな暮らしをしている方がいるなんて。私たち母娘はその翻訳家が誰なのか、ものすごく気になった。それほど有名だということはY先生かな？　と失礼を承知で、同級生に中学校の国語教師がいるかどうかお聞きしてしまったほどだ。

2年生でも同じ先生が国語を受け持つことになり、将来の夢の授業で靜河はまた日本文学の翻訳家になりたいと発表した。先生は1年生のときと同じように同級生の話をして、誰にでもできる仕事ではないということを強調し、今回は「きみが勉強をがんばれば、その友達に口をきいてやることもできる」と言ったそうだ。

一年間ずっと気になっていたので、靜河はこのときだとばかりにその同級生は誰なのか尋ねたという。すると、

「きみは、日本文学の翻訳家にくわしいの？」

「はい」

「ひょっとして親御さんが……？」

「はい。母が翻訳家です」

「……」

「その翻訳家のお友達は、何というお名前ですか？」

「知らなくていい」


翻訳で成功し、庭付き一戸建てを建てて暮らす日本文学翻訳家、その正体は謎のベールに包まれたままになってしまった。

――「娘の将来の夢」『翻訳に生きて死んで』より

２０１９年、友達と一緒にパッケージツアーで東欧に行ったときのことだ。３日目の朝、まだ他のツアー客とは打ち解けておらず、年齢が近い人同士で控えめにおしゃべりをするぐらいだったが、長テーブルに16人ぐらいで座って食事をすることになった。友達が私を指さして「翻訳家なんです」と紹介した。席の近い人々から「まぁ、すごいですね。何語の翻訳ですか？」と聞かれ、日本語だと答えた。そのとき、テーブルの端に座った60代ぐらいのご夫婦が「日本語の翻訳と言えば……」と顔を見合わせる様子が目に入った。数日後、食事の時間にそのご夫婦と4人掛けのテーブルで一緒になり、奥様に聞かれた。

「日本語の翻訳家さん同士は、みなさんお知り合いなんですか？」

「いいえ、個人的に知っている人は何人かいますが、同業者同士のつながりがあるわけではありません」

するとご主人が「うちの町内に日本語の翻訳家がいるんですよ」と言った。

「まぁ、どなたですか？」

「〇〇〇」

性別や年齢は不明だが、よく耳にする名前だ。東欧で同業者のご近所さんに会うなんて、不思議なこともあるものね！　と言おうとしたら、友達が先に驚きの声を上げた。

「えっ！　その人、うちの夫のお友達です」

友達がその翻訳家の庭付き一戸建てにも遊びに行ったことがあると言うと、ご夫婦は同じ住宅街のご近所さんグループでよく一緒に集まっているメンバーだと教えてくれた。こんな偶然があるなんて、と驚いていたら、作家イ・スラさんのご両親もそのグループのメンバーだったそうで「スラが子どもの頃はよく会っていましたよ」と言う。私の驚きと興味は、たちまちイ・スラさんに移った。

東欧旅行の数カ月後、エッセイ集『翻訳に生きて死んで』を読み返していたら、すっかり忘れていたあの国語の先生のエピソードが出てきた。私はすぐさま静河の部屋に向かって大声で叫んだ。

「静河！　この翻訳家、誰かわかったわよ！」

古本を買ったら

オンライン書店で『翻訳に生きて死んで』の古本を注文した。すでに絶版になった本なので、中古サイトなどで見かけると、うれしくなって購入してしまう。もしかしたら、いつか希少本になるかもしれないし。

今回は、ぜひ読んでみたいという人に送るために買ったのだが、状態のいい本が手に入ってラッキーだった。その翌日、メールが届いた。本の出品者からだ。

「失礼ですが、著者の方ではないですか?」

あっ。やっぱり自分の本を自分で買うと、こういう状況に遭遇することもあるのね。ちょっときまりがわるくて「知人が読みたがっていたが、手元に本が残っていないので、古本を購入してプレゼントすることにした」と、聞かれてもいないのに長々と説明してしまった。

出品者はミニマリズムを実践するために本の整理をしたと言い、古本屋に売ったことを申し訳なさそうにしていた。買い取ったのがまさか著者だったなんて、面食らったとは思うけれど、お互いにとっておもしろいエピソードになったからハッピーエンドだ。

そのとき買った本は、ある編集者の手に渡った。読後に小説の出版契約を打診され、私は引き受けた。出品者がこんな意外な展開を知ったら、どれだけ驚くだろうか。

プロフィール

特筆に値することがなくて、20代の頃は履歴書を書くのがいちばん嫌いだった。50代になった今もたいして変わっていない。運転もできないし、自転車にも乗れない。水泳もできず、口げんかもできない。特技も趣味もない。ただ本が好きで、書くことが好きなだけ。でも、これといった問題もなく、30年間翻訳の仕事をしながら生きている。

本に掲載するためのプロフィールを送ってほしいと言われて、こんなふうに書いた。出版社からサンプルとして送られてきたのは、チャン・ギハの『関係なくないか？』に載っている自己紹介文だった。

21歳以降、音楽以外にやりたいことはほとんどなかった。ロックバンド「チャン・ギハと顔たち」を10年やって解散。シンガーソングライターという新たな出発の準備をしている。自然であることへの執着が不自然なほど大きい。他人に迷惑をかけない範囲で、思いきり自由でいたい。幸せになるための特効薬はないという点では、誰もが似たり寄ったりだと思う。特効薬はないが、それなりにいい毎日を過ごしている。

——『関係なくないか？』文学ドンネ、2020年

おぉ、これは新しい。「1966年生まれ。日本文学翻訳家……」で始まるプロフィールに飽き飽きしていたけれど、こんなふうに書くのもアリなのか。ちょうど届いたエッセイ集『明日は明日の出勤が来る』のプロフィールも読んでみた。

憧れだったドラマ企画の仕事を辞め、小さなPR会社に勤めながら辛抱強く耐え抜いた。そんなふうに迎えた会社員10年目、しかし私の人生にはいつもぼんやりと霧が立ち込めていた。どうしてこんなに晴れの日が少ないんだろう。いつしかこの曇った視野にも慣れ、霧という名で楽しく文章を書いている。失敗に慣れているが挑戦が好きで、優柔不断だがどこかちゃっかりした面もある。

——『明日は明日の出勤が来る』オルラ、2020年

著者のペンネームは「アンゲ（霧）」だ。ほう、最近のトレンドはこういう感じなのね。いつ、どこで生まれて、どんな学校を出て、代表作をずらずらと並べる陳腐な自己紹介文はもう古いってことか。それじゃあ私も、と今までとは違うスタイルで書いてみた。なかなかいいじゃない。娘に自慢しなきゃ、と冒頭のプロフィールをカカオトーク〔韓国のメッセージアプリ〕で送った。すると「謙虚すぎるし、ネガティブすぎ」とダメ出しをくらった。私と同じく履歴書に書ける特技を持たない人々に「わかる！」と希望を抱いてもらえるような素晴らしい自己紹介文だと思ったのに、5秒後に却下されるとは。悲しいけれど、20代の感性には合わなかったらしい。「そっか、書き直すよ」と返信した。

10代は文学少女だった。20代半ばで翻訳を始めた。30代後半、翻訳業界に居場所を確保する。40代中盤、翻訳にまつわるエッセイ集『翻訳に生きて死んで』を上梓。50代中盤、シングルマザーとして暮らしながら感じたことを書いたエッセイ集『面倒だけど、幸せになってみようか』を発表。今後の計画は、80代まで地道に翻訳と執筆を続けていくことだ。

でも、今度はもう静河には見せなかった。この世でいちばん書きたくないプロフィー

ルを二度も書き直すはめになりそうで。どのみち読者はサラッと目を通すだけだから、これぐらいで大丈夫、と自己正当化して編集者に送った。

自分自身に向き合うという作業は、どんな形であれ気恥ずかしい。編集者から「本のそでに掲載するプロフィールは、オンライン書店のサイトのものと同じでいいですか？」とテキストが送られてきたが、読みもせずに「はい」と返信した。

『締切日記』の話

メールが一通届いた。どのフリーランサーにとっても、この世でいちばんうれしいメールは仕事のオファーではないかと思う。仕事が山積みで引き受けられない状況でも、依頼の連絡が来るのはありがたい。このメールもとても光栄だったが、読み終わる前から頭の中でNO、NO、NOという返事を書いていた。なぜなら、こんな内容だったからだ。

現在、弊社では『締切日記』という締切をテーマとしたエッセイ・アンソロジーを企画しております。(中略) 韓国を代表する日本文学翻訳家でいらっしゃるので大変ご多忙とは存じますが、担当する作品ごとに翻訳のスピードが変わるといった内容や子育てと仕事の両立など、フリーランスの翻訳家の締切について、さまざまなエピソードをお持ちだと思います。何よりも『締切日記』のプランナーであり編集者である私が、ぜひクォン・ナミ先生の締切にまつわるエピソードをお聞きしたくて、こうして執筆依頼のご連絡をさせていただきました。

いつもなら「わぁ、おもしろそう」と引き受けるところだが、そのときは『面倒だけど、幸せになってみようか』の締切前で息も絶え絶えになっていた。しばらくエッセイは書かないぞ、と心に決めていたので、この丁寧な依頼メールに丁寧にお返事を書いた。どんなに丁寧に書かれていても、断りのメールをもらう相手は気分が悪いと思うが、それでも状況をしっかり説明した。一行にまとめれば「死んでも書けません」になってしまうけれど。

初めからお断りするつもりだったから細かいところまでメールを読んでいなかったが、返事を送ったあとでよく見たら、発行されるのはほぼ1年後で、締切まで8カ月もある。文字数も原稿用紙60〜70枚。やっぱり書こうかな。あ、さっき返信したんだった。もう遅い。

……と思ったが、翌日、編集者から「年末にたびたび恐縮ですが、もう一度ご検討いただけないでしょうか」というメールが来た。その続きを読んで、心がスーッとほぐれていった。

退勤後、久しぶりに『翻訳に生きて死んで』を読み返してみました。今読んでもすごくおもしろいです。そして、忘れかけていたことを思い出しました。私も高校生のとき、先生にメールをお送りしたことがあるんです！翻訳家になりたいです、と。

まぁ、なんということでしょう。翻訳家になりたいとメールをくれた若者の1人が素敵な出版社の編集者になって、原稿依頼をしてくれるとは！　うれしくて、感慨深い。もちろん再検討して、すぐに「やります！」と返事を送った。

『締切日記』は、作家のカン・イスル氏、クォン・ヨソン氏、キム・ミンチョル氏、キム・セヒ氏、イ・スクミョン氏、イ・ヨンミ氏、イム・ジーナ氏とご一緒したアンソロジーだ。分量が少ないので、10日もあれば書けるだろうと思っていたが、油断して先延ばしにしているうちに8カ月が過ぎてしまった。その間に担当編集者も代わった。

夏休み明けの前日になって1カ月分の日記を書くときのように、途方に暮れながらタイトルを書いてはため息、1～2行書いてはため息。数百回の締切を経験してきたのに、焦っているせいかネタが思い浮かばない。私はお題さえもらえればどんな原稿でも一気に書けるタイプだと思っていたのに、こんなに身近でよく知っている〝締切〟前に困り果てるなんて。

遠くから締切を眺めつつ、余裕を持って書くべきだったが、せっぱ詰まった状態で書くことになってしまった。心残りが大きい作品だ。もっと軽快に書けたらよかったのだけれど。本が出た後、親しい人々は「やっぱり、きみの文章がいちばんいいね」と言ってくれた。でも、見知らぬ読者の書評には私のエッセイがよかったという人が少ないのを見ると、〝失敗〟だったようだ。

共著者のみなさんとの飲み会を楽しみにしていたが、コロナのせいで立ち消えになったので、この本に関して唯一のいい思い出は、出版社から新年の贈り物をいただいたこと。やはり食べ物は最高です。

先日、『締切日記』の原稿依頼をくれた編集者から、こんなメールが届いた。

私が日本小説界の敏腕編集者になって、先生とミリオンセラーの印税契約をする日が来ますように！

ああ、そうだ、この編集者と出会えたことが、いちばんうれしい贈り物だった。

第4章

ごくろうさま、あなたも私も

やりたくないことはやらない年齢

いつからか、やりたくないことはやらなくなった。会いたくない人には会わないし、翻訳したくない本は丁重にお断りする。「人間は社会的動物だ」とか「ともに生きる世の中」という言葉から解放されたら、地球の重さがずいぶん軽くなった。

年をとって厚かましくなったせいなのか、解脱《げだつ》したためなのかどうかはわからない。いずれにしても、最低限の道理をわきまえ、他人に迷惑をかけない範囲内で、最大限に世間と距離を置いて生きている。

もちろん孤独だ。孤独だが、気楽だ。気楽だけど、後ろめたい。こんな生き方をしていてもいいのだろうか？　眠りにつく前に自問自答してみるが、朝になって陽が昇ればまた、後ろめたくて気楽な孤独を選んでいる。あぁ、こうして頑固な独居老人になっていくのだろうか。

憂うつはインドア派の相棒

おできのように、うつ症状が出るようになった。自分には永遠に訪れない気がしていた〝40歳〟を迎えた年に。それ以来すっかり慢性化したおできは、雨が降ると再発する老人の神経痛のように、天気の変化が引き金となってぶり返すことがあった。

昔、翻訳した本の訳者あとがきにこんな文章があった。自分の文章を読み返せないタイプなので、10年以上前にこんなことを書いたなんてまったく記憶にない。40歳の頃の私は、こんな感じだったんだなぁ。笑える。50歳になる年のうつ症状は、おできどころか、じんましんのように広がっていくのに。60歳になってから50歳の自分を振り返ったら、また滑稽に感じるのだろうか。

年齢の十の位の数字が変わるたびに、憂うつレベルが上がっている気がする。でも、「憂うつだけど、まっ、生きるってそういうものよね」と悟りのレベルも上がっているから、結局は同じことだ。50歳を超えてからは肩の力を抜き、ほどほどにがんばって生きるようにしている。締切をストレスにせず、働きたくないときはゴロゴロしながら。

イ・グクジョン教授〔亜洲大学病院重症外傷センター長。2018年には韓国へ亡命中に銃撃された北朝鮮兵士を治療して大きな注目を浴び、BTSと並んで「今年最高の人物」3位に選ばれた〕が「私はいつだって憂うつだ。でも、ただひたすら耐えている」と言うのを聞いて、私もそうだよ、と余裕たっぷりにうなずいた。

落書きブログ

中学生の頃、テストを早く解き終わったら、問題用紙に詩を装った落書きをして遊んでいた。一行も覚えていないけれど、カッコつけたいお年頃だったから、今ではお金をもらっても書けないようなこっぱずかしい内容だったに違いない。

あるとき、私の机の横を通り過ぎた試験監督の先生がそれを発見して、みんなの前で読み上げた。学校というところでは先生に名前を呼ばれるだけでもうれしいのに、しがない落書きに先生が目を留めて読み上げてくれたという状況に私はすっかり有頂天になった。

それからもテストを解き終わって問題用紙の端に落書きをしていると、先生は興味を示してくれた。いつしか自分ひとりだけの落書きではなく、読み手を意識した書き物になってしまった。字も以前より丁寧に書き、内容にも気を遣って……。こうした文章も落書きと言えるのだろうか。

ＮＡＶＥＲブログ〔韓国の大手ポータルサイトＮＡＶＥＲが運営するブログサービス〕も似たようなも

のだ。余った時間に問題用紙の余白に落書きをするように、仕事の合間にログインして書き散らす。でも、それを読みに来る人が多いとわかっていながら書く場合も落書きと言えるのだろうか……。たとえば、こんな内容。

がっかり

ツイッターで5年以上フォローしている人の中には、この人変わったなと心配になる人がいるかと思えば、ちっとも変わってないなと心配になる人もいる。

——あるツイートより

本当にそのとおり。
変わった人を見てもがっかりするし、
変わらない人を見てもがっかりする。

将来の夢ができた

世の中はめまぐるしく変わり、人の考え方も変わっていく。すばやく適応してついていかなければ、口うるさい年寄りだとみなされる。自分の価値観にしたがって意見を言っただけで、老害だとけなされる。私は長生きしたいと夢見たことはなかったが、何を言っても是非を判断する前からうるさい年寄りだと責め立てる若者たち、彼らが年寄りだと言われる日まで生きてみたくなった。そのときが来たら「ざまあみろ！　この年寄りめ！」と言いたい。あ〜、しょうもない将来の夢だわ。

竹林

翻訳家の方をディスっているわけではないが、翻訳をやるぐらいならホールスタッフをやったほうがましだなと思ったことがある。

出版社の隣の竹林　メアリ（bot）

〔出版業界で働く人々が共同で運営するツイッターアカウント @bamboo97889_3〕より

翻訳の仕事をしている人の意見：そのとおりです。いえ、そんなことはありません。あ、でも、正しいご意見です。うーん、やっぱりそれはないかな。いや、おっしゃるとおりかも……。ただし、ホールスタッフは年をとったらできないけれど、翻訳は年をとってもやらせてもらえるという大きな長所があります。この年で、誰が私にホールスタッフをやらせてくれるでしょうか。

社長

しょっちゅう担当者が代わる出版社から、電話がかかってきた。またしても初めて聞く名前だ。どこどこの誰々ですが、と言われて、私が最初に発した言葉。

「またご担当の方が代わったんですか⁇」

なんと、社長だった。

申し訳ありません……。

就職活動中の娘

友達に会いに行こうとする就職活動中の静河に
「酔って愚痴をこぼしたり、泣いたりしないようにね」

と言ったら、ププッと笑ってこう言われた。

「私、お笑い担当だよ。踊れるし」

今日も余計な心配をしてしまいました……。

困惑

『面倒だけど、幸せになってみようか』が好評をいただいてうれしい反面、気にかかっていることがある。プレスリリースなどに書かれた〝信じて読む翻訳家〟〔この人が翻訳しているなら間違いなくおもしろいと信頼できる存在という意味〕などの身に余るキャッチフレーズ。翻訳を長くやってきたが、そこまで信じていただける翻訳家ではないのでとても恥ずかしい。必死で避けているが、うっかり目にしてしまったときはウッと銃で撃たれたような顔になる。物を売る人たちは、もともとハッタリをかますものです。テレビショッピングの司会者みたいに。「うちのリンゴ、実はここが腐ってるんです」なんて言うリンゴ売りはいないでしょう？　商売ですから、ポテトチップの袋の窒素、季節のギフトの過剰包装みたいなものだと思って、さらりと受け流してください。真実ではないのです。

Sから始まる言葉

本を読み、訳すのが私の仕事だ。同業の他の方々はどうなのかわからないが、これまではほぼ年中無休だった。外出する用事があって遅い時間に帰ってきても、すぐにノートパソコンを開いてデスクに座る。締切に追われているからではなく、生活費を稼がなければならないという圧迫感からでもない。長年続けていたら、それが仕事であり、趣味になったのだ。「勉強なんて簡単だよ」という言葉みたいにいけ好かないかもしれないが、翻訳をしているときがいちばん幸せだ。

しかし、いくら幸せな仕事でも一定量を超えると脳が飽和状態になり、これ以上は死んでも続けられないと思う瞬間がやってくる。日本語を見るだけで胸やけがする。眠くもないし、時間だってたっぷりあるのに。こんなときに備えて、ノートパソコンのそばにはいつも韓国語の本が2〜3冊置いてある。シリアスだったり重苦しい内容でもいけないし、軽すぎたり幼稚でもいけない。活字で飽和状態になった頭で重い話を読むのは言語道断だが、かといって貴重な時間に暇つぶし用の本を読むわけにもいかないから。

というわけで、いつもそばに置いて、すきま時間に1〜2篇ずつ大切に読んでいる本が『시옷《シオッ》〔시옷はハングルの子音字母の一つ「ㅅ」のこと。S音にあたる。日本語のサ行に近い〕の世界』だ。ㅅ《シオッ》で始まる言葉をテーマにした、34篇のエッセイ集である。

嫁入りした女性は〝シ〟のつく言葉を嫌って、シグムチ《ほうれん草》も食べない〔後述のシジプ（婚家）、シオモニ（姑）、シアボジ（舅）などを連想させるため〕といわれるなか、詩人のキム・ソヨンさんはなぜㅅをテーマにこの本を書いたのだろう？　まぁ確かに、디귿《ティグッ》〔t音やd音を表す「ㄷ」〕の世界や피읖《ピウプ》〔p^{h}音を表す「ㅍ」〕の世界だったら、ちょっと素敵さに欠ける気がする。やっぱり詩人だから、詩的な子音を選んだのかもしれない。そんなことを考えながらページをめくると、おぉ、そこには想像もできなかったㅅワールドが広がっていた。

사귐《サグィム》〔付き合い〕、사라짐《サラジム》〔消える〕、살아온《サラオン》 날들《ナルドゥル》〔生きてきた日々〕、새기다《セギダ》〔刻む〕、생일《センイル》〔誕生日〕、선물이《ソンムリ》 되는《テヌン》 사람《サラム》〔贈り物になるㅅ〕、소심《ソシム》〔小心〕＋서투름《ソトゥルム》〔不器用さ〕、소풍《ソプン》〔遠足〕、손짓들《ソンジッドゥル》〔手ぶり〕、수집하다《スジパダ》〔収集する〕、숭《スン》배하다《ベハダ》〔崇拝する〕、스무《スム》 살에게《サルエゲ》〔二十歳へ〕……。

ㅅというと、私は反射的にシジプ（婚家）、シオモニ（姑）、シアボジ（舅）、シヌイ（小

姑）、シドンセン（義理の弟妹）といった単語ばかり思い浮かべてしまう。ところが、『시옷の世界』の著者は、思いがけない言葉を使って、あるときはやわらかく、あるときは胸が痛み、あるときは心が震え、あるときは粛然たる思いを呼び起こすエピソードを聞かせてくれる。あぁ、これは本当に粋なアイディアだなと感嘆した。

翻訳をする時間に比べて、本を読む時間が圧倒的に不足している。いい翻訳をするには、母国語の能力が重要だとわかってはいても、忙しさのあまり韓国語の勉強がおろそかになってしまうのがこの業界の人々の現実。締切が目前に迫っているのに、あえて仕事に関係のない本をゴロゴロしながら読むのは、出版社への反逆ではなく、放電した頭の中を充電するためだ。

そういう意味で『시옷の世界』は、とても良質な韓国語充電用のバッテリーである。「もぞもぞと這っていく虫の後ろには、くねくねした小道ができあがった」「虫はにわかに木の枝を捨て、ひょうひょうと背を向けて、そそくさと消えた」といった多彩なオノマトペや、美しい韓国語がぎっしり詰まった詩人のエッセイ、これ以上うってつけの読み物があるだろうか。

二番手が気楽

私は主流より傍流、インサイダー〔韓国の流行語。いつも輪の中心にいる人気者。陽キャ〕よりアウトサイダー〔周囲に溶け込めない人。陰キャ〕、メジャーよりマイナー、江南《カンナム》〔ソウル中心を流れる漢江の南側〕より江北《カンブク》〔漢江の北側〕のほうが気楽でいい〔伝統的な街並みが残る江北に対し、江南は政府主導のもと１９７０〜80年代に開発が進み高級住宅街が生まれた〕。人間は自然体がいちばんだ。

ダルマエナガがコウノトリを追いかけると股が裂ける、ということわざ〔身の丈に合わない行動をするべきではないという意味〕があるが、そもそも私は自分より優れた人を追いかけようと努力したことはない。なぜわざわざそんなことを？

唐突だが、この文章を書きながらふと「ところでダルマエナガって、どんな鳥なんだろう？」と気になって検索してみた。体長13センチほどの小さな鳥だ。こんなに小さいとは思わなかった。コウノトリの体長も調べてみたら、１００〜１１５センチだという。うーん、10倍は差がある。

ダルマエナガも私と同じように、コウノトリを追いかけようとしたことはないのではないだろうか。コウノトリが飛んでいこうがいくまいが、どうでもいいのではないだろうか。

飛んでいくコウノトリを見て「わぁ〜、すごい」と感嘆の声を上げることはあるだろう。優雅に羽ばたくコウノトリと同じ距離を進むには、ダルマエナガはしっぽがもげそうなほど必死で飛ばなければならないだろうから。

でも、ダルマエナガは自分の小さな体について、ストレッチをがんばれば脚が長くなるわけでもなく、ピラティスに通えば翼の形がよくなるわけでもないと知っているはずだ。すべてを受け入れて「小さくてかわいらしい自分が大好き」とポジティブな鳥ライフを楽しんでいるのではないだろうか。コウノトリの群れに混ざって飛ばないかぎり、ダルマエナガは自分の脚が長いのか短いのか、翼が大きいのか小さいのか意識することはない。

必死で主流に食い込もうとするのではなく、そこそこの環境に満足して生きる傍流の幸せ。インサイダーがどれだけ勢力を振るっていようと、「山是山 水是水」という言葉もあるではないか。山は山であり、お水はセルフサービスになっております、と一人でふざける余裕がアウトサイダーにはある。幸せの回路は、回し方しだいで強化できるのです。

エシレバター

Yahoo! JAPANで、ある殺人事件の犯人に死刑判決が下されたという記事を偶然見つけた。ふだん犯罪に関するニュースは見ないが、その日はやけに目についたので読んでみた。2009年、首都圏連続不審死事件として日本のメディアを賑わせた殺人事件だ。通称・婚活殺人事件と呼ばれたこの事件の犯人は、木嶋佳苗という住所不定・無職の30代女性。結婚をちらつかせて、交際していた男たちから1億円を超えるお金を騙し取り、そのうち少なくとも3人を自殺に見せかけて殺害した。

化粧っけのない顔、ゆるみきったパーマヘア、平凡な身なり、体重100キロを超えそうな彼女の写真が新聞に大きく掲載されると、日本の人々はとても驚いた。一般的な〝結婚詐欺師〟のイメージとあまりにもかけ離れていたからだ。被害に遭った男性たちは、この女性が詐欺師だなんて夢にも思わなかったという。声が美しくて話し方に気品があり、料理上手なところがとても魅力的だった。生きている被害者は、口をそろえてそう言った。

木嶋佳苗は2017年に死刑宣告を受けて服役中だ。驚くべきことに、3度も獄中結婚をしている。3人目となる現在の夫は『週刊新潮』のデスクだ。取材を重ねるうちに恋愛関係に発展したという。夫婦になったとしても、仕切り越しの面会や文通しかできない。それでも死刑囚と結婚するのは、そこまで愛しているからだろうか。男女間のことは本人たちにしかわからないから、無意味な憶測はこれぐらいにしておこう。興味深いのは、そんな木嶋佳苗をモデルにした『BUTTER』〔柚木麻子著〕という小説が出て、Amazonで堂々の1位に輝いたという事実だ。そして、その本を私が翻訳することになった。運命のように。

殺人事件をテーマとした小説がなぜ『BUTTER』なのだろうと不思議に思ったが、読み終わると他のタイトルは想像すらできなくなった。木嶋佳苗が美食家の料理好きで、上流社会に憧れているという点にフォーカスを当て、料理小説のように食べ物の話がたくさん出てくる。著者の柚木麻子は小説『3時のアッコちゃん』などでもそうだが、食べ物で心を癒す物語を巧みに書く。

『BUTTER』の主人公は週刊誌記者の独身女性・里佳。木嶋佳苗をモデルに描かれた連続殺人犯、梶井真奈子の取材を重ねるうちに、里佳は彼女の魅力に引き込まれていく。

梶井真奈子は里佳との初めての面会で、取材に応じる条件としてミッションを出す。丸の内の専門店でエシレの有塩バターを買い、炊きたてのご飯に冷蔵庫から出したばかりのバターをのせて、バター醬油ご飯を作りなさい、と。丸の内のエシレ・メゾンデュブールはエシレバターやこれを使ったパンやクッキー、ケーキなどが買える有名店だ。

私はパンを食べることが少なく、凝った料理もしないから、バターを買うことはほとんどない。買う必要があるときは、陳列棚の中でいちばん安いものを探す。マーガリンで済ませることすらある。しかし、『BUTTER』を翻訳したことによって、自分がいかにバターについて無知だったかを思い知らされた。バターはとにかく高級なものを選べという梶井真奈子の主張に納得した。彼女のバター論に魅了され、一度も買ったことのない高級バターを買ってみたくなった。買ったとしても、そのバターは冷凍室で賞味期限を忘れて生きていくことになるだろうけれど。

そういえば、益田ミリのエッセイ集にも高級品の象徴のように、丸の内のエシレの話が出てくる。おぉ、エシレ。翻訳が終わったら絶対行ってみなきゃ、と思った。

500ページ近くに及ぶ分厚い本の翻訳を終え、交換留学中だった娘に会いに行くのも兼ねて、東京へ飛んだ。静河とこんなに長く離れて暮らしたのは初めてだ。涙の母娘対面だった（泣いたのは私だけ）。静河はしばらく見ないうちにずいぶん大人っぽくなっていた。アルバイトをして自分で生活費をまかない、おいしいお店をずらりとリストアップして、寿司屋やうどん屋、居酒屋へとてきぱき案内してくれた。現地在住者についていくだけだったから、ものすごく楽だった。静河が中高校生の頃は、日本に遊びに行っても何も調べようとせず、ただついてくるだけの消極的な態度にイライラすることがあった。でも、今回は私がそんなふうに過ごした。頼れる人がいたから、頭を使う必要がなかったのだ。やはり人は、立場が変われば、視野が広がる。

東京に着いた翌日、静河と一緒に丸の内のエシレ・メゾンデュ ブールに行った。最寄りは東京駅だが、私たちは銀座駅で降り、伊東屋やロフトで文房具のショッピングをして、街を見物しながら歩いていった。

エシレバターはその名声に違わぬおいしさで、バターを使ったスイーツも美味だった。本当はオープンの1～2時間前から並ばないと、人気のスイーツは食べられない。そうとは知らず、お昼過ぎにのんびり訪れた私たちはほぼ空っぽのショーケースに残っていたフィナンシェとマドレーヌを食べただけだが、それでもものすごくおいしかった。

何と言っても、店舗が入っている丸の内ブリックスクエア周辺の風景がとてものどかで美しかった。うららかな春の日に銀座駅から丸の内ブリックスクエアの一号館広場まで歩き、エシレでスイーツを買って食べたことは、本当に、本当に、素敵な思い出になった。静河と「今までの人生でいつがいちばん幸せだった?」と話すとき、2人そろって選ぶのがその日だ。

Yahoo! JAPANで偶然読んだ殺人犯の記事が、母娘の最高に幸せな一日へとつながるドラマになるとは思わなかった。人生のあらゆる瞬間は、すべてが伏線なのかもしれない。

あのときの男子生徒は

6～7歳でハングルを習得して以来、活字に魅了された私は、隣の漫画喫茶でよく漫画を読んでいた。まだ小学校に上がる前だったから、世の中に絵本や童話の本が存在することを知らなかった。両親は教育に無関心で、我が家にある本といえば、兄と姉の教科書だけだった。

そんなふうに漫画ばかり読んでいた私が、生まれて初めて作文を読んで（正確には〝聞いて〟）感銘を受けたのは、小学校に入ってからだ。朝礼のとき、校内の作文大会で1等賞を取った5年生の男子生徒が登壇して受賞作を読んだのだが、8歳の幼心にとても感動的に響いた。

その男子生徒は児童保護施設で暮らしていた。我が家から近くて、私はその前を通ることが多かった。高くて大きな鉄の門があった。親のいない子どもたちが暮らしている施設だということは入学前から知っていた。

1等賞の男子生徒が書いた作文は、こんなふうに始まった。

路地の奥にそびえ立つ、一軒の洋館。あれがぼくの家だったら。

ジャジャジャジャーン！　ベートーヴェンの〈運命〉の冒頭を初めて聴いたときと同じ気分だった。高く大きな鉄門の中で暮らす少年が、路地を歩きながら洋館を見上げる姿が思い浮かび、涙が出そうになった。

作文の内容は覚えていない。出だしの文章と、それを聞いたときの感動だけが胸に刻み込まれている。そして、作文って何だろう？　作文大会って何だろう？　私も作文を書いて、あんなふうに賞をもらおう、そう思ったことを覚えている。そんなふうに心に刺さった〝作文〟という単語が、私に今、この仕事をさせているのかもしれない。

児童保護施設の男子生徒が壇上で受賞作を読んだとき、私はその施設からも見えるほど大きな家に住んでいた。しかし我が家は翌年すっかり落ちぶれて、両親は健在だったが、私もその男子生徒と変わらない貧しい暮らしを送ることになった。そんな私にとって、作文は唯一の娯楽であり、プライドであり、救いだった。彼にとっても、作文はそんな存在だったのではないだろうか。

大人になって、味もそっけもないマッチ箱のような高層アパートを目にするたび、あの中のひと部屋が自分のものだったら、と思うと同時に、8歳の頃に聞いた作文を思い出した。私より4歳年上だった彼は、もうマイホームを手に入れただろうか。どうか今は素敵な家で、幸せに暮らしていてほしい。

5千人近い全校生徒の中で1等の実力なら、その後も多くの賞をもらっただろうから、彼はもうあの作文を覚えていないかもしれない。でも、朝礼台の前にちんまり座っていた1年生は、あなたがあのときの洋館よりもいい家で暮らせていることを何十年も祈り続けています。

楽天的でポジティブな子

中学生の頃、家族と離れてソウルで暮らした時期を経て、両親のいる地方に転校した。転校先の制服はそれまでのスカートとは違い、ズボンだった。母は「卒業するまで着られるように」と上着はオーバーフィット、ズボンはヒップホップダンサーのようにダボダボにしつらえた。

転校生を見物しに来た他のクラスの生徒たちに「ソウルの制服、見ろよ。ずだ袋だ」とゲラゲラ笑われた。制服は卒業するときまでずだ袋のようだった。母は娘がすくすくと成長し続けると思ったらしいが、残念なことに私の身長は伸びず、体重はどんどん落ちて、ずだ袋はいっそうブカブカになった。

私の関心はいつも作文と本に向いていたから、転校当日のお昼休みにさっそく、教室の後ろに貼られていた作文を読んだ。その中のある作文を読んだとたん、この子は私のライバルだ、と思った。実際にそのPという子は、卒業するまで作文大会で私より上位の賞を受賞した。大学も国文科に進み、国語教師になった。転校して最初に仲良くなったのもその子だ。やがてCという友達も加わって、中学時代はずっと作文三銃士として親しく過ごしていた。Eメールも携帯電話もない時代だったから、それぞれ別の高校と大学に進学すると、残念ながら3人のやりとりは途絶えてしまったけれど。

ところが娘が4、5歳ぐらいになった頃、2人と再び連絡が取れた。まるでドラマのように。

Pが国語教師を辞めてドイツ旅行に行ったとき、飛行機の中で急病人が発生して離陸が遅れた。そこで、航空会社の地上勤務職員が機内にやってきたが、それがなんとCだった。PとCはお互い相手に気づいて、すばやく連絡先を交換したという。やがて韓国に帰国したPは書店で偶然、私が翻訳した小説『ラヴレター』〔岩井俊二著〕を発見し、出版社に連絡先を尋ねて私に電話。こうして地方中学の作文三銃士は、大人になってから初めて江南のカフェで集まることになった。

しかし、中学校までの思い出しかない3人が数十年後の未来で再び親しく過ごすには、仕事内容や活動エリアが違い過ぎた。それでもPとは今もたまに生存報告程度のメールをやりとりしている。いつだか、Pから届いたメールにこんなことが書かれていた。

私は溺れそうな感じで苦労しながら作文を書いていたの。でも、きみはまるで水の上をすいすい歩くみたいに軽々と書いているように見えた。きみはいつもニコニコ笑っていて、楽天的でポジティブだったよ。


いつも笑顔だったのは確かだが、思春期は厭世的で暗いオーラが強かった気がしていた。でも、表にはあまり出ていなかったようだ。楽天的でポジティブな子だったと記憶されているのは意外だった。この話を聞いて、娘の静河は言った。

「は？　ありえない。お母さんは中学時代、超ネガティブだったと思うんだけど。楽天的でポジティブって！」

なんというネガティブ思考。歴史の生き証人がそうだと言ってるのに、当時は存在すらしていなかった未来の人間がどうして違うと言い張るのよ〜。

コピーライターになりたかったけれど

子どもの頃からずっと児童文学作家や小説家になるのが夢だったが、大学生になると、私の実力では無理な話だということを悟った。読書好きで書くことが好きだからといって、誰もが作家になれるわけではない。そんな文学少女、文学少年は全国にうじゃうじゃいる。私は才能がないのみならず、何としても夢を叶えてやるぞ！という気概に欠け、夢に向かって必死で努力するタイプでもなかった。強い意志を持ち、血のにじむような努力で夢を叶えられるのは非凡な人々だ。私は平凡な人間なのである。

そこで、現実に目を向けた私が目指したのは、コピーライターだった。簡単になれる職業ではないが、作家ほど狭き門ではないように思えた。このときはけっこうがんばった。地下鉄、新聞、テレビ、雑誌など、世の中には広告があふれていて、そこにはキャッチコピーがある。約2年間、目についたコピーをすべてノートに書き留めていった。

大学4年生のとき、他学科で「コピー論」という授業が開講することになり、神様がコピーライターへの道を開いてくれたのね、と思ってすぐ履修した。おそらく4年間で最も熱心に聞いた講義だったと思う。キャッチコピーを書く課題はとても楽しかった。これほど私に合う仕事はない気がした。性格も能力もぴったりだ。中間試験、期末試験ともにA＋だったことは言うまでもない。期末試験の最後の問題は、知っているキャッチコピーを10個書くというものだったから、解答用紙の余白に思い出せるかぎりのコピーをすべて書いた。時間と余白さえあれば、１００個だって書ける。プロのコピーライターでもある教授（当時は「コピー論」だけを担当する講師だった）の作品を最初に書いた。小学生でも知っている有名なキャッチコピーだ。

1学期間、講義を聞いて、コピーライターになりたいという夢は本格的に燃え上がった。天職を見つけたと思った。いよいよ最終日、授業が終わると、質問がある人は残りなさいと教授が言った。私は友達と一緒に教授の元に行き、コピーライターを目指しているが、どんな準備をすればいいのか尋ねた。すると、彼はこう答えた。

「女は嫁に行けばいい。何がコピーライターだ。簡単になれるもんじゃないぞ」

え……なんなの、この人……。何のために1学期間、大講義室で大勢の女子学生に授業をしたの？　嫁入りしたら、キャッチコピーは何の役に立つわけ？「女は嫁に行け」という言葉をしょっちゅう耳にする時代だったとはいえ、広い視野を持ち、最も拓けた存在であるべきコピーライターともあろう人が、自分の講義に熱心に耳を傾けていた学生に言う言葉だろうか。ぶるぶる。怒りはエネルギーに変換しやすい。もっと怒りを燃やして、これみよがしに立派なコピーライターになればよかったのかもしれないが、前述のように私は平凡な人間。その一言で、2年かけて風船のようにふくらんだコピーライターの夢はバンッと割れて消えてしまった。

これを書きながら、改めて怒りがこみあげてきたので、名前を検索してみると（30年以上前に1学期だけ習った講師の名前を思い出すのは容易なことではない。彼のキャッチコピーを元に、検索魂を燃やした）、ウェブ上に人物情報が掲載されている。女がコピーライターになることについて、今はどう考えているのか聞いてみたい。おかげで翻訳の仕事をすることになったから、感謝していますけどね。

占いを信じますか?

20代半ばのニート時代、占いに行ったことがある。迷信を宗教のごとく信じる母と一緒に訪ねたのは、人間文化財の巫堂《ムーダン》。その人にインタビューしたことがあるという友人に薦められて、行こうと決心したのだ。

施設からして豪華だった。母にくっついて行った、真っ赤な旗が掲げてあるだけの町内の占いハウスとは次元が違う。私はマスメディアを通して見ていた人に会えたことが不思議議で、無条件に信じる気持ちになっていたが、母にとっては彼女も今まで会った占い師の一人に過ぎなかった。そもそも私に誘われて連れてこられただけの母は、不信感でいっぱいの状態。案の定、その人が占いの結果をいくつか伝えても、母は興味がなさそうな顔をしていた。

無職だった私は、自分にはどんな仕事が向いているのか尋ねた。具体的な言い回しは忘れたが、「あなたは外回りの多い仕事がいいでしょう。記者になればぴったりです」と言われた。良い未来も悪い未来もズバリと言い当ててくれるわけではなく、どうとでも取れるようなことをいくつか言っておしまいだった。「外回りの多い仕事、記者」からすでにわかるように、その日の占いはハズレだった。母も知りたいことを尋ねたが、結果を聞いてがっかりしたらしく、「いっこも当たってへんかったわ」と光化門から富《プ》川《チョン》の自宅に帰るまで、ずっとぶつぶつ文句を言っていた。当たっているか当たっていないか、まだわからない状況なのに否定的すぎるよと母をたしなめた。

しかし、出歩くのが嫌いなうえに、引っ込み思案で電話恐怖症の私にとって、記者はやらせてあげると言われてもできない仕事であることは確かだった。占いに行った数カ月後、私は翻訳を始め、一生出歩かない職業に就くことになった。

次に占いに行ったのは36歳、人生最大の試練に見舞われたときだ。思い悩む私に、知人が「有名人もたくさん通っている評判のいい導師様だから、一度見てもらうといいよ」と紹介してくれた。つらい結婚生活の行方を知りたくて、とりあえず行ってみた。礼儀正しい〝導師様〟がじっくり運勢を見てくれるので、とても信頼できた。1時間ずっとプラスのことばかり言ってくれたので、それを信じたかったのかもしれない。家族3人とも最高の運勢だと言われた。この導師による2つの予言のうち、1つはそこそこ当たって、1つは完全に外れた。こんな確率50%の予言なら、誰にでもできそうな気もするけれど。

彼が当てたのは、私が仕事で有名になるということ(と自分で言うのは恥ずかしいが)。でも、そのときすでに翻訳家としてのポジションを確立していたから、それほど印象に残らなかった。重要なのは、占いに行った理由である結婚生活の問題だった。導師は自信たっぷりに言った。「来年2月13日の午前10時、夫が180度変わって聖人君子のような人間になる。それまで我慢して耐え抜きなさい」と。日時まで指定するなんて、よっぽど自信があるんだろうな。その確信に満ちた言葉を聞いて、岩が載っているかのようだった心が軽くなり、お財布の有り金をはたいて鑑定料として支払った。ところが聖人君子になるどころか……翌年、離婚した。

こんな経験をすれば、占いに興味をなくしてもおかしくないが、相変わらず関心がある。でも、見るのはインターネットの無料占いだけ。いい内容は当たっていて、悪い内容はでたらめだと考えるようにしている。

それでも、占い師に見てもらうより当たっていることが多い。統計だからか、性格の長所や短所は鏡を見るように正確だ。「好き嫌いがはっきりしていて、嫌いな人とは話もしません」という一文を見て、ハッとした。これは、うちの娘だけが知る秘密なのに。

「人付き合いをせず、孤立した生活を送り、我が強く、せっかちでプライドが高い。相手に不満があっても誤解を解いたり理解したりしようとする度量が足りない」と無料占い師は私に対する総評をした。

……わぁ、無料占い師は私のストーカーなのだろうか。幼少期の運勢は「本を常にそばに置いて、運動は好まない。学校生活でも友達とおしゃべりするより、本の世界に浸って過ごす時間が多く、対人関係をおろそかにする」と出てきた。これは私の小学校の同級生しか知らない事実なのに。

こんなことを考えながら、この文章を検索してみたら、芸能人の占い結果がずらりと出てきた。ソルリ、アイリーン、コン・ヒョジン……。うーむ、無料占い師は同級生ではなく、統計データを表示するプログラムだったのだ。これは3月生まれに共通する、幼少期の運勢だった。

それでも相変わらず無料占いに興味がある私。先日、姪がびっくりするぐらいよく当たるという占いアプリの結果を送ってくれた。本当によく当たっていた。感動して、すぐにアプリの名前を聞き、自分を占った。あぁ、ここにも私の人生ストーカーがいたよ。

すごくよく当たってる、と娘を占ってみたら、さっき感動した姪の占い結果と同じものが出てきた。ガーン！

母の基準

基準1

ある人のことを、私は老人だと言い、母はまだ若者だと言い張った。母よりは若いから若者と言えるかもしれないが、その基準は……。

「あんたのお兄ちゃんと一回りしか違わないでしょ」

お兄ちゃんは還暦を過ぎて5年目なのですが。

基準2

「電話をかけてきた相手に電話をかけ直すときは、どこ押したらええん?」と聞かれたので、こうすればいいよと教えてあげた。

「やっぱりあんたは賢いから何でも知ってるんやね。敬老堂でいちばん若い人に聞いたけど、わからへんって言うから」

「敬老堂で若いって言っても、おばあさんでしょう？」

「まだ80歳や」

基準3

母と親しい町内のおばあさんが腰の手術をして、1カ月以上、入院してから退院した。しかし一人では生活ができないので、息子の家に身を寄せた。はたして息子の家で円満に暮らせるだろうかと心配していたが、案の定、お嫁さんがヘルパーをつけて送りかえした……という話を母が電話で聞かせてくれた。

「そう、あのおばあさん、足も不自由で高齢だから、ヘルパーがいたほうがいいよね」

すると、母が怒り出した。

「何が高齢やねん。私の一歳上や」

母は87歳、高齢と言えない歳ではないのですが。

ホイーター

「エアコンを早く持ってきてくれ」

「寒いのにエアコンを？」

「押す椅子のことや」

「あぁ〜、ホイーターね」

「ホイーターって何や？」

「押す椅子のことよ」


父が療養型病院に入院していた頃、ホイールチェア（車椅子）をめぐる父と母の会話でした。

本

ある日、母の家に行ったら、本の束をひっぱり出してきて、こう言う。

「門の前にまだ新しい本が捨ててあったから、あんたが読むかもしれないと思って拾っといたんよ。持って帰って読みなさい」

母がくれた本は『2015 Pacific KMLE 予想問題集』。Pacific KMLE が何のことかわからなくて検索してみたら、医師国家試験だった。

母さん……。

方言

静河は一時期、慶尚道〔韓国南東部〕の方言を練習すると言い、事あるごとに「ごはん食べたん？」「どないしょう？」「何言うてんねん」と、テレビでソウルの俳優が慶尚道なまりの演技をするときの不自然なイントネーションででたらめな方言を使った。真剣に習得しようとしているわけではなく、ふざけてやっているだけだったので、心の中ではかわいらしいなと思っていたが、「うわぁ、エセ慶尚道なまりを禁じる法律を作ってほしいよ。そのイントネーション、イライラする」と笑い混じりに文句を言った。

そんなある日、娘はいよいよ慶尚道方言ネイティブの祖母（私の母）を訪ね、これまで磨き上げてきた実力を披露した。

「おばあちゃん、私、最近、ほーげんを練習してるんやで」

するると母は、

「へぇ〜。全羅道〔韓国西南部。慶尚道とはイントネーションが異なる〕の方言？」

静河の就職

就職活動中だった頃の静河に聞かれた。

「お母さんは私がどんな会社に入ったらうれしい？」

「お給料は少なくても、おいしいランチを食べさせてくれる会社かなぁ」

「私は、食事補助はなくてもいいから、お給料の高い会社に入りたい」


そう言っていたが、おいしいランチを無料で食べられて、お給料も高い会社にめでたく就職した。昼休みになると送られてくる、レストランのようなランチの写真を見るたびに、私は胸がいっぱいになる。唯一の短所は、会社が板橋《パンギョ》〔ソウル南東部に位置する、京畿道城南市盆唐区の新都市〕にあって遠いということだが、早起きや通勤の大変さも素敵な社屋を見れば、すべて忘れられるという。

静河にいつも「あなたを選んでくれた会社は、人を見る目があるいい会社だろうね」と言っていたが、いい会社どころか、まさしく夢の職場だった。そのうえ直属の上司の人柄も素晴らしく、ロールモデルにしたい方だという。予想もできなかったオプションだ。お給料がよくて、おいしいランチが出てきて、ジェントルな上司まで。うちの静河は、前世の行いが良かったに違いない。

昨年、合格の知らせを聞いたとき、静河は思いがけないことを言った。

「私、これからは就職活動中の友達においしいものをいっぱいごちそうして、応援する」

だから「まぁ、立派ね。うん、これからも偉い人に媚びを売るんじゃなくて、大変な人を気遣ってあげられる人になってくれたらうれしい」と久しぶりに師任堂《サイムダン》（申《シン》師任堂（1504―1551年）。朝鮮時代の画家。良妻賢母の鑑とされ、2009年から韓国の5万ウォン紙幣に肖像画が用いられている。ドラマ『師任堂、色の日記』でイ・ヨンエが演じたことも）のようなコメントをした。我が家では、本に出てくるような教訓めいた言葉はお互いむずがゆいからめったに言わないが、あまりにもうれしかったせいで、ラップのように飛び出してしまった。静河もうれしくてテンションが上がっていたせいか、鳥肌が立ちそうな言葉を聞きながら「うん、うん」と深くうなずいてくれた。そしてある日、静河のこんな一言を聞いて、心がとろけそうになった。

「これからはお母さんにおいしいものをたくさんごちそうできるから、すごくうれしい」

その言葉どおり、本当に一度も行ったことのない高級レストランを検索して、あちこちに連れて行ってくれた。私のスマホの出前アプリにも自分のクレジットカード番号を登録して、食べたいものがあったらいつでも注文していいよと言う。いつも「私はお母さんがおいしいものを食べるのがいちばんうれしい」と言っていた娘が働いて稼いだお金で、こんなふうに〝食〟孝行をしてくれる。「子を持てば七十五度泣く」〔親になると心配や苦労が増えるという意味のことわざ〕と思った過去の自分を反省します。

毎日幸せそうに通勤する姿を見て、やっと私の心にも平和がやってきたようだ。そして、もう完全に〝育児〟は終わったんだなという気がする。長い間、ごくろうさま。あなたも、私も。

愛犬ナムの旅立ち

我が家の愛犬ナムは、風邪ひとつひいたことがないほど健康だったので、世界最長寿のシーズーとしてギネスブックに載るかもしれないとひそかに期待していた。ところが12歳のときに網膜変性で突然、視力を失った。14歳になる年には肝腫瘍と宣告された。ギネスブックははかない夢となった。

組織検査を受けた日、獣医の先生にこれからは食べたがるものを何でも食べさせてあげてくださいと言われて、とても悲しかった。再発を繰り返す皮膚病とダイエットのため、ずっと食べ物に気を遣ってきたナムに、何を食べさせてもいい日が来るなんて。涙の船に乗って漂流しそうな半月を過ごしたが、組織検査の結果はなんと良性だった。死んだナムが生き返ってきたような気分だった。

しかし獣医の先生は、いろいろな人に意見を聞いたところ悪性の可能性が高いと言う。私は「先生、私たちは良性腫瘍だと思って暮らすことにします」と言った。その日からナムは肝臓がんの患者ではなく、ただ肝臓にこぶができた子になった。散歩にも毎日連れて行き、老犬にいいものを食べさせて、肝臓の栄養剤と処方された薬もきちんと飲ませた。私たちが精一杯がんばって腫瘍が大きくなるのを防げば、ナムは長く生きられると考えた。

韓国のいろいろなポータルサイトとYahoo! JAPANで犬の肝腫瘍に関する情報もあれこれ検索した。驚くべきことに役立つ情報はまったくなかった。肝腫瘍の末期に食を断って痩せこけた、見るも無残な犬の写真ばかりだ。うちのナムもこんなふうに亡くなることになるのだろうか。いや、ナムは良性だから大丈夫に違いない。そう信じて（いたが、内心恐れて）いた。

ナムの肝臓は風船みたいに少しずつふくらんでいった。しかし、食欲旺盛で体重も増えた。元気に散歩も続けていた。決して肝がんではない。がんだったら、こんなに元気なはずがない。やっぱり良性の腫瘍だ。たとえ悪性でも、こんなに元気なら、今年はまだそばにいてくれるはずだと安心していた。

肝腫瘍の宣告から5カ月目、ナムは14歳の誕生日を迎えた。いつものように平凡に過ごしたら、ナムは生きていられたのだろうか。せっかくの誕生日だから、盛大にお祝いをした。壁にガーランドをかけ、ごちそうをきれいに盛り付けた。準備の間中、楽しさより、ひりひりするような感じがして、最後の誕生日だからだろうなと思った。ナムが今年は年を越せるだろうけれど、来年の誕生日を迎えるのは難しいだろうから。

静河はスーパーに行って、犬用ケーキとナムが好きなスイカの絵が描かれた綿のTシャツをプレゼントに買ってきた。Tシャツを着せようとしたら、ナムが死んでもイヤだともがいたので、着せることはできなかった。このTシャツが翌日、死装束になるなんて夢にも思わなかったが、ナムは知っていたのだろうか。ワカメスープ〔韓国では誕生日にワカメスープを飲む習慣がある〕もしっかり飲んで、誕生日パーティーが終わる頃、ナムが異物を飲み込んでしまった。驚いてすぐ病院に連れて行き、レントゲンを撮ったが、何も見つからない。先生に胃を空にして明日また撮ってみようと言われ、帰ってきた。

次の日、ナムは生まれて初めて絶食をした。また動物病院に行ってレントゲンを撮ったが、一晩中何も食べていないのに胃が空にならず、異物も見つからなかった。体も力なく、ぐったりしていた。総合病院をさらに2軒回った。獣医の先生から、原因はわからないが、コンディションがよくないと入院を薦められた。

ナムが10歳になったとき、いつか訪れる別れに備えて決心したことがある。何があっても病院のケージで死なせはしない、病気になって痛みで苦しんでいたら、一日でも長く一緒にいたいという欲を捨てて、安楽死させてやろう、と。ナムを病院のケージで寂しく死なせたくない、ナムが苦しむ姿を決して見たくない、というのが私たち母娘の確固たる意思だった。

数年前から決めていたとおり、私たちはナムとの最後の時間を自宅で過ごすことにして、ナムを抱いて家に戻った。14年間、毎月通った病院からの道、家族3人が並んで歩くのはその日が最後になった。帰宅して2時間ほど経った頃、ナムは私に抱かれたまま、悲鳴もけいれんも苦しむ姿を見せることもなく、眠るように穏やかに虹の橋を渡った。ナムと暮らしている間、いつも切実に願っていたとおり、しっかり食べて元気に生き、苦しまずに旅立つこと、この難しいミッションをナムはクリアしてくれた。ナム、グッジョブ!

14年間、我が子のように優しくナムを診てくれた動物病院の先生のところに寄って挨拶をした後、娘の車に乗ってペット葬儀場へ向かった。白内障で真珠のように真っ白な目を丸く見開いたナムは、まだ暖かかった。顔のあちこちを触ってみた。丸い額、美しい目、今日もしっとりしているかなと毎日確認したかわいい鼻、視力を失ってから顔の近くを触るのを嫌がるようになってからはちゃんと見られなかった口の中もじっくり見た。歯が何本か抜けていた。そうとも知らずに固いガムをあげちゃってたな。

うちの犬がどんなにいい子でも、どの家の犬もいつかは旅立つ。こんなにかわいい子が死ぬなんて、世の中から消えてしまうなんて、とても想像できなかったが、その日は来てしまった。

14年間、1分1秒も愛さなかったことのないナムが旅立った。24時間、ハイスペ人材（私）に世話をされ、静河に溺愛されて、夏は涼しく、冬は暖かく、幸せに暮らして旅立った。誰かに会うたびにかわいいと褒められて、ブログを通してネット上でもあふれる愛をいただいた。旅立ちの前日まで食欲旺盛で、しっかり食べて旅立った。誕生日のワカメスープまで飲んだ。これ以上ないくらい幸せに生きて、旅立っていった。

私たちはナムの生き方を「God 生 God 死」〔God＝素晴らしいこと、立派なことなどを意味するZ世代を中心に生まれた表現〕だったと称賛する。自分が去った後、私たちが泣かないように、ナムはあんな美しい後ろ姿を残して旅立ったのだろうか。ありがとう、ナム。きみは最高の伴侶だったよ。また会う約束を忘れないでね。きみがいつ、どこで何に生まれ変わっても、ママはきみをすぐ見つけられるから。ナム、さようなら。

それから。ナムの物語を本に書くという契約を結んだ。ペットロスに苦しむ人々の心を癒す文章を書きたい。ナムは最後まで大きな贈り物を残していってくれた。

1万ウォンの幸せ

昨年、冬の初めの土曜日、某企業に筆記試験を受けに行った静河から携帯電話にメッセージが届いた。

「お母さん、すごくいい天気。外に出てみて」

少しは運動をしろと老母に何度言われても聞かないが、娘に言われたことには従う。母親を思う気持ちがいじらしくて。どこに行こうか考えて、せっかくだからオリニ大公園〔動物園や植物園、遊園地などを備えたソウル市広津区の大規模公園〕まで行ってみた。家からバスで3駅の距離だ。紅葉がまだきれいで、初冬とはいえ日差しは暖かく、人が多かった。何と言っても、緊張に包まれながら試験を受けに行く途中の静河が、わざわざ母にメッセージを送りたくなるようないい天気だから。

動物園でお母さん象かお父さん象が子象を叱るのを見て、お父さん猿が仲間外れにされているかのようにひとりぼっちなのに「仲良しのお猿の家族」という立て札がついた猿たちも見物した。公園内をぶらぶら歩き、日当たりのいいところに座って本を読んだ。

幸せな午後だ。静河の試験がうまくいくように応援してね、と天国のナムにときどき祈った。

そんなふうに時を過ごして、肌寒くなってきたので出てきたら、大公園の裏門で外国人が一人でクラリネットを吹いていた。前には募金箱が置かれている。演奏を聴いている人はいない。異国でコロナ禍に見舞われて収入もなく、きっと苦労しているだろうなと思うと心が痛んだ。

いつもはクレジットカードしか持ち歩いていないが、こういう季節は食べ物の屋台がたくさん出ているから、と1万ウォン札を一枚持っていた。全財産だが、これを入れるべきだろうか。迷って、そのまま通り過ぎた。ものすごく久しぶりに外に出てきたんだから、ホットク〔小麦粉とタピオカでん粉を発酵させた生地に、黒砂糖とピーナッツのソース等を挟んで焼いたおやつ〕、たい焼き、オムク〔魚肉をすりつぶしてつくった練り物。屋台では串に刺さったものが売られている〕も食べなきゃ。歩き出してしばらく経ってから、なぜか心にひっかかって、また戻って箱に1万ウォンを入れた。ホットク、たい焼き、オムクは、大公園の上空へと消えていった。5000ウォンおつりをください、と言うわけにもいかないし。ところが、そのとき見た。箱の中にうずたかく積もった1000ウォン札を。一銭もない私のほうがよっぽど貧しかった……。

試験を終えて帰ってきた靜河にそのことを話したら、叱られた。食べたいものを買って食べればよかったのに。余分なお金も持っていないのに、どうして全部あげちゃうの、と。

「……でも、幸せを運んでくるかもしれないでしょ。そのためにあげたわけじゃないけど」

それ以来すっかり忘れていたが、靜河が筆記試験に合格したという知らせが届いた。そのとき、1万ウォンのことを思い出した。靜河ががんばって勉強した成果ではあるが、試験というものは実力がすべてではない。その合格は、1万ウォンが運んできてくれた幸運ではないだろうか。それからすぐ今の会社に合格できたのも、1万ウォンが運んできた幸運の余波かもしれない。こんな話をしたら、靜河に一刀両断された。

「何言ってるの。天国のナムが助けてくれたんだよ」

エピローグ　再び二人で

生後45日の保護犬ナムが我が家にやってきたのは、靜河が小学校5年生のときだった。新しい家族になった幼い生命は、あまりにもかわいくて愛らしかった。母娘ふたりだけの時間より、いっしょにナムに集中して過ごした時間のほうが多かった。ナムが太陽で、月で、星で、宇宙だった。

ナムが老犬になると、靜河はおおっぴらに宣言して回った。ナムが死んだら私も死ぬ、と。実際に跡を追うことまではないだろうと思ったが、娘が受けるであろうショックがどれほど大きいかは想像できた。ナムが旅立った後、私の心は自分でどうにかできるが、靜河はどうだろうと、それがいちばんの心配だった。結局その日はやってきて、私たちはナムを見送った。

しかし、靜河も私もあまり泣かなかった。ナムを失った悲しみよりも、ナムが苦しまずに逝ったという安堵感のほうがはるかに大きかった。ナムがもっと長生きしたとしても、待っていたのは肝腫瘍の痛みだけだっただろう。その痛みが訪れる前に旅立ったのは喜ばしいことだ。たとえ誰かの不注意で旅立ったとしても、そのことにすら感謝したいほどだった。

ナムを追って死ぬと公言していただけに、静河は友達に心配されたが、天国のナムが見たら拍子抜けするのではないかと思うほどサバサバしていた。そのことに私はとても励まされた。私が落ち込みっぱなしではなく、すぐ日常に戻ったことも、静河にとってはなぐさめになっただろう。どちらかが悲しんだり、自分を責めたりしそうになると、どちらかがナムは幸せに生きて、安らかに旅立ったのだと言い、お互いに励まし合った。

ナムが旅立った翌日、静河がこう言った。

「私たち、これから人生の第2幕が始まるね」

そう、母娘がお互いだけを見て暮らす、ペットのいない生活が始まった。あえて細かく分ければ第4幕ぐらいになると思うが、いずれにしても新しい人生の始まりだ。生後45日の子犬が老犬になる間に、娘も悲しみを乗り越えられる大人になった。そして、れっきとした社会人になった。これからはそれぞれ自分の人生を生きていけばいい。

静河は真面目に会社に通い、私は今後もっと幸せに翻訳をして、楽しく文章を書き続けるだろう。……と言うと、何だか一大決心でもしているかのようだが、これまでと同じように生きていくということだ。でも、夏休みの宿題をすべて終わらせて新学期を待つときのように、この先の人生を思うと何だかワクワクする。

訳者あとがき

『ひとりだから楽しい仕事――日本と韓国、ふたつの言語を生きる翻訳家の生活』は、韓国で2021年5月に発行されたエッセイ集だ。著者のクォン・ナミ氏は、韓国で最も有名な出版翻訳家で、現代日本文学の人気に火をつけた立役者の一人である。

翻訳家としてその名を広く知らしめたのは、映画監督・岩井俊二の『ラヴレター』。韓国でも1999年に公開されて一大ブームを巻き起こした日本映画『Love Letter』の小説版だ。「韓国に帰国したPは書店で偶然、私が翻訳した小説『ラヴレター』を発見し、出版社に連絡先を尋ねて私に電話。こうして地方中学の作文三銃士は、大人になってから初めて江南のカフェで集まることになった」（199頁「楽天的でポジティブな子」）というエピソードに登場するとおり、中学時代の親友と再会するきっかけにもなった一冊である。

その後も『かもめ食堂』（群ようこ著）、『舟を編む』（三浦しをん著）他、数々の話題作を手がけ、これまでに訳した書籍は300冊以上。30年以上にわたって1カ月に1～2冊という驚異的なペースで翻訳を続けてきたばかりか、初めて長編小説を翻訳した日から現在に至るまで「寝ていても、ガバッと起き上がって翻訳を続けたくなるほど仕事が楽しい」（韓国のインタビューマガジン『topclass』２０２２年10月号より）と明かしている。

そんなクォン・ナミ氏は日本文学好きの読者から絶大な支持を集めており、翻訳のみならず、訳者あとがきをはじめ、ブログやエッセイ集などのオリジナル作品を楽しみにしているファンも多い。

韓国での本書の読者レビューを一部ご紹介したい。

好きな作家なので、ゆっくり大切に読もうと思っていたが、どのページもおもしろくて一気に読んでしまった。読者を惹きつける力がずば抜けている。

実際にお会いしたことはありませんが、ブログや本を読んで親しみを抱くようになったせいか、まるで長年の友人やお姉さんのように感じます。読んでいるうちに、やり場のないもどかしさがいつの間にか癒されるような気分。

本を買うとき、翻訳家の名前が決め手となることがよくある。クォン・ナミさんが訳していなかったら出会えなかった作家もかなり多いと思う。訳者あとがきがいつもおもしろいので、本編より先に読んでいる。

壮大な感動物語や深くて重いエピソードというわけではなく、ただ淡々とシンプルに起こった出来事が書かれているのに、なぜこんなに心に響くのでしょうか。


本書の発行から2カ月後、「すでに絶版になった本なので、中古サイトなどで見かけると、うれしくなって購入してしまう」（163頁「古本を買ったら」）と語られていたエッセイ集『翻訳に生きて死んで』（マウムサンチェク刊）は、読者の熱い期待に応えて10年ぶりに改訂され、再出版された。古本を編集者に贈った縁で執筆契約を結ぶことになった小説に加え、なんと童話の執筆オファーも舞い込んできたとのこと。今後ますます幅広いジャンルでの活躍が期待されている。

また、「ナムの物語を本に書くという契約を結んだ。（中略）ナムは最後まで大きな贈り物を残していってくれた」（221頁「愛犬ナムの旅立ち」）というエピソードに登場するこの「ナムの物語」は、2022年6月に『ある日、心の中にナムを植えた My Dog's Diary』（イボム刊）というタイトルで発行され、ペットロスの悲しみの中にいる人々の心を癒している。

日本の新型コロナウイルス水際対策が大幅に緩和され、ついに韓国からもビザなしでの個人観光旅行が可能になった。クォン・ナミ先生と靜河さんが日本に到着したら、まずはどこに行くのだろう。数年ぶりの日本旅行記をぜひ読んでみたい。韓国で新作を楽しみにしているファンのみなさんと同じように、私も新しいエッセイが待ち遠しい。

藤田麗子

クォン・ナミ　권남희

1966年生まれ。韓国を代表する日本文学の翻訳家。エッセイスト。20代中頃から翻訳の仕事を始め、30年間に300冊以上の作品を担当。主な訳書に村上春樹『村上T 僕の愛したTシャツたち』『シドニー！』『パン屋再襲撃』『村上ラヂオ』『おおきなかぶ、むずかしいアボカド 村上ラヂオ2』『サラダ好きのライオン 村上ラヂオ3』『ふわふわ』、小川糸『食堂かたつむり』『ツバキ文具店』『キラキラ共和国』、恩田陸『夜のピクニック』、群ようこ『かもめ食堂』、天童荒太『悼む人』、益田ミリ『僕の姉ちゃん』シリーズ、角田光代『紙の月』、三浦しをん『舟を編む』、朝井リョウ『何者』、東野圭吾『宿命』など。著書に『翻訳に生きて死んで』『面倒だけど、幸せになってみようか』『ある日、心の中にナムを植えた My Dog's Diary』などのエッセイ集があり、本書が初邦訳となる。

藤田麗子　ふじた れいこ

フリーライター＆翻訳家。福岡県福岡市生まれ。中央大学文学部社会学科卒業。訳書にチョン・ドオン『こころの葛藤はすべて私の味方だ。――「本当の自分」を見つけて癒すフロイトの教え』、クルベウ『大丈夫じゃないのに大丈夫なふりをした』（以上、ダイヤモンド社）、チョ・ユミ『ありのままでいい――自分以外の誰もが幸せに見える日に』（PHP研究所）、ハン・ソルヒ『あたしだけ何も起こらない――"その年"になったあなたに捧げる日常共感書』（キネマ旬報社）などがある。

デザイン　鳴田小夜子
装画　大津萌乃

ひとりだから楽しい仕事

日本と韓国、ふたつの言語を生きる翻訳家の生活

2023年1月18日　初版第1刷発行
2023年9月30日　初版第2刷発行

著者　クォン・ナミ

訳者　藤田麗子

発行者　下中順平
発行所　株式会社平凡社
〒101-0051　東京都千代田区神田神保町3-29
電話　(03) 3230-6593 [編集]
(03) 3230-6573 [営業]

印刷　株式会社東京印書館

製本　大口製本印刷株式会社

ISBN978-4-582-83916-6
平凡社ホームページ https://www.heibonsha.co.jp/
落丁・乱丁本のお取り替えは小社読者サービス係まで直接お送りください
（送料は小社で負担いたします）。